QUESTIONS A UN MAÎTRE ZEN

« *Spiritualités vivantes* »
SÉRIE BOUDDHISME

TAÏSEN DESHIMARU

Questions à un Maître Zen

Albin Michel

Collection « Spiritualités vivantes »
fondée par Jean Herbert

Nouvelles séries dirigées par
Marc de Smedt

Première édition :
© Éditions Retz, 1981

Édition de poche :
© Éditions Albin Michel S.A., 1984
22, rue Huyghens - 75014 Paris

ISBN : 2-226-02119-1
ISSN : 0755-1746

INTRODUCTION

Le Zen est l'enseignement de l'éternité, éternité qui n'est que la succession de chaque instant qu'il est important de vivre profondément. Soyez vigilants, disent les Maîtres zen, aiguisez votre attention mieux que la plus fine épée. Alors seulement vous serez dans la Voie, alors seulement vous pourrez en terminer rapidement avec toute chose. Car on ne peut tout obtenir qu'en abandonnant tout.

Si nous ouvrons les mains, nous pouvons recevoir toute chose; si nous sommes vides, nous pouvons contenir l'univers entier. Vide est la condition de l'esprit qui ne s'attache à rien et vit pleinement l'instant présent.

Le Zen est une expérience, une pratique à partir du corps, zazen, être dans l'instant même, au-delà de toutes les existences de l'univers, atteindre la dimension de Bouddha et vivre dans cette dimension.

Quand le cerveau humain est calme, le corps immobile, dans une condition de profonde sérénité, le microcosme humain est l'image parfaite et harmonieuse du macrocosme.

Pendant zazen en se concentrant sur la posture du corps et le rythme calme de la respiration, en dévelop-

pant une expiration lente et prolongée qui apporte une force de plus en plus puissante dans le hara (le bas du ventre, l'océan de l'énergie), l'harmonie juste s'établit, produisant l'état d'éveil. C'est l'état ultime qui s'accomplit de lui-même, inconsciemment, naturellement, automatiquement, sans volition, sans recherche, en oubliant seulement corps et esprit.

Zazen est le retour à la condition normale, originelle du corps et de l'esprit, l'unité de l'objectif et du subjectif, l'ultime conscience au-delà de l'espace et du temps, l'éternité.

Toutes les existences sont impermanentes, changeantes, sans noumène, ku (vacuité) ; pour le monde phénoménal, seule existe la réalité du perpétuel changement ; ainsi est l'ego, sans noumène, sans substance propre ; il n'est pas une entité, il n'a pas d'autonomie ; il est la simple actualisation momentanée d'un ensemble de causes interdépendantes entre elles. Aussi la vraie substance du corps et de l'esprit n'existe-t-elle pas ; leur substance est la virtualité d'existence, la potentialité de manifestation phénoménale ; cette virtualité est le pouvoir cosmique fondamental.

L'éveil, le vrai satori existe en nous-même. Pas besoin d'aller le chercher ailleurs. La pratique du Zen en elle-même est satori. En l'état de bouddhéité, il n'y a plus d'accroissement, ni diminution. C'est la totalité authentique des dix mille phénomènes, impossible à saisir. La conscience s'étend à l'infini, c'est la liberté la plus grande, la véritable spiritualité.

Héritier des maîtres de la transmission, Taïsen Deshimaru vint en Europe il y a plus de seize ans pour y apporter le vrai Zen. Né le 29 novembre 1914 au Japon, dans la province de Saga, dès son enfance il rencontra Maître Kodo Sawaki, réformateur hardi qui revint à la source du Zen. Taisen Deshimaru étudia à l'université de Yokohama, puis occupa un poste de responsabilité dans les activités minières d'une société industrielle. Pendant la guerre, il fut envoyé en Indonésie, mais n'en continua pas moins à suivre l'enseignement de son Maître Kodo Sawaki et à pratiquer zazen.

Maître Deshimaru arriva à Paris à la fin de l'année 1967 pour y apporter la graine du Zen suivant ce que lui avait toujours dit son Maître. Il créa à Paris un dojo élevé au rang de Temple Zen en 1975 et un monastère, la Gendronnière, près de Blois. Sa mission se répandit de plus en plus, de plus en plus nombreux furent ses disciples. Plus de 120 dojos se créèrent à travers le monde. Iwamoto Zenji, chef du Soto Zen et président de la Fédération bouddhique japonaise, a dit de lui qu'il était « le Bodhidharma des temps modernes ». Le 30 avril 1982, Taïsen Deshimaru est décédé, léguant à ses disciples l'essentiel de son enseignement et la mission de transmettre à leur tour la pratique du vrai Zen.

Dans le Soto Zen, le Maître dispense son enseignement essentiellement à travers la pratique de zazen, durant les kusens (enseignement oral) pendant zazen, mais aussi par des conférences et des mondos (mon : questions, do : réponses) avec ses disciples. Le Maître répond souvent plus à l'esprit de la personne qu'à la question elle-même. La réponse, dépassant la raison, touche l'inconscient et produit un choc, un bouleversement du corps et de l'esprit. Le Maître Zen parle avec son corps tout entier. Le vrai Zen se transmet « I shin den shin », de mon âme à ton âme.

Evelyn de SMEDT

Sur les feuilles rousses des longs mois d'hiver
La neige immaculée scintille doucement
Sous les rayons de lune
Quels mots pourraient exprimer l'inexprimable beauté.

(Maître Dogen, XIIIe siècle.)

LA VOIE DU MILIEU

中道

— *Votre expression « Le zen est au-delà des religions » peut laisser entendre que le zen doit remplacer et faire dépérir toutes les religions. Quelle est votre pensée exacte à ce sujet ?*

— Les religions restent ce qu'elles sont. Le zen est méditation. A la base de toutes les religions, il y a la méditation. L'homme d'aujourd'hui ressent intensément le besoin de revenir à la source de la vie religieuse, à l'essence pure qui est au tréfonds de lui-même et qu'il peut seulement découvrir par l'expérience vécue. Il a besoin de concentrer son esprit pour trouver la suprême sagesse et la liberté, qui est d'ordre spirituel, face aux influences de toutes sortes qui lui sont imposées par l'environnement.

La sagesse humaine n'est pas suffisante, elle est imparfaite. Seule la vérité universelle peut donner la suprême sagesse. Enlevez le mot zen et, à sa place, mettez : Vérité, Ordre de l'Univers.

— *Quand le zen a-t-il commencé dans l'histoire du bouddhisme ?*

— A partir de Bouddha, quand il obtint l'éveil sous l'arbre de la Bodhi.

Par la suite, le bouddhisme fut fortement influencé par les religions et les philosophies traditionnelles indiennes. Il sombra dans les études livresques et l'ascétisme comme c'est le cas dans le système Theravada.

Aussi Bodhidharma est-il parti d'Inde pour transplanter le vrai zen dans une terre nouvelle, la Chine. Puis le bouddhisme a vieilli en Chine comme il décline maintenant au Japon. La posture de zazen est l'essence du bouddhisme. En Chine, au Japon, la pratique de zazen se perd et c'est pourquoi je l'apporte dans la terre fraîche de l'Europe.

— *On dit souvent que le bouddhisme est la voie du milieu, celle de l'équilibre, alors qu'en Occident, la notion de juste milieu correspond à la morale bourgeoise. Est-ce que vous pouvez parler du juste milieu selon le zen ?*

— La voie du milieu ne consiste pas à se trouver entre deux jolies femmes et embrasser l'une et l'autre. Non, ce n'est pas cela. Dans le bouddhisme, la voie du milieu consiste à ne pas opposer le sujet à l'objet. Dans la civilisation européenne, il y a toujours dualisme. Par exemple, le matérialisme est opposé au spiritualisme. Les Européens aiment beaucoup les « ismes ». Bouddhisme, christianisme... Ces *ismes* sont une relativité alors que le matériel et le spirituel sont unité et ne s'opposent pas. C'est pourquoi le matérialisme et le communisme se sont dressés contre le christianisme. Mais le communisme n'est pas complet, car il ne considère les choses que sous l'aspect matériel. Et le christianisme seulement sous l'aspect spirituel : incomplet également. Certains chrétiens ne sont pas comme cela, mais pour les chrétiens traditionnels, le christianisme est seulement du spiritualisme.

L'esprit et le corps sont une même chose, comme les deux faces d'une feuille de papier. Dans la vie quotidienne, on ne peut pas séparer l'un de l'autre. L'un aime le spirituel ; l'autre le matériel. Si on veut comprendre, il faut trouver la voie du milieu ; le spirituel est matériel et le matériel devient spirituel. L'esprit existe dans chacune de nos cellules et, à la fin, l'esprit lui-même est le corps et le corps lui-même est l'esprit. Il reste l'activité, l'énergie, qui ne sont pas dualistes.

La voie du milieu intègre tout. La plus haute dimension est mushotoku, la voie du milieu. Le zen est la voie du milieu. Mais il ne faut pas se tromper sur ce mot « milieu » : entre le matériel et le spirituel, il faut embrasser les deux choses, comme le recto et le verso d'une feuille de papier. C'est pourquoi il est difficile de comprendre le zen.

La voie du milieu est une voie au-delà. Thèse, antithèse, synthèse, les raisonnements européens se présentent toujours comme cela. Matériel = thèse ; spirituel = antithèse.

Le zen vit la voie du milieu, celle de la synthèse.

— *La foi est importante dans le bouddhisme et, dans le zen, on trouve différents objets de foi : le zazen, le kesa, le maître. Mais qu'est-ce que la foi ?*

— Comme vous voulez. Chacun est différent. Pour chacun l'objet de foi diffère. Chacun doit savoir, connaître par lui-même, l'objet de sa foi. Vous devez croire en ce qui vous impressionne le plus. Je ne puis pas le dire, le décider objectivement. Ceci est très important. Dans presque toutes les religions, on vous dit : vous devez croire ceci, cela, en Dieu, en Bouddha. Je ne suis pas d'accord. Vous devez le trouver en vous-même. Le religieux peut vous accompagner au bord de la rivière, mais ne peut boire pour vous, ni vous faire boire. C'est un problème subjectif. Aussi je réponds : Comme vous voulez ! Mais le plus important, c'est de croire. De croire dans le plus élevé, l'ultime. Qu'est-ce qui est vrai ? A la sagesse du cerveau d'en décider.

Dieu, Bouddha, la croix... Généralement, on croit selon ses gènes, son hérédité, son éducation, son milieu familial, ses habitudes corporelles. Mais en définitive...

Le chien suit son maître, il oublie tout le reste lorsqu'il voit son maître. Son cerveau change. Il est fidèle, il croit en son maître. C'est ainsi : un amour profond est important dans la foi.

La foi ultime, je ne peux pas la décider pour vous. Vous devez en décider vous-même. Il ne s'agit pas seulement de forme. Je suis moine zen et, comme Dogen, Nagarjuna, je crois dans le kesa nommé par Bouddha. C'est une transmission éternelle. Si vous voulez avoir foi en Bouddha, vous le pouvez. Mais je ne puis décider pour vous. Vous devez trouver la réponse par vous-même.

— *Est-ce qu'on doit abandonner sa religion pour suivre le zen ?*

— Comme vous voulez. Vous devez choisir vous-même. Vous devez chercher l'essence, ici et maintenant, décider ce qui est important pour vous-même. Quelle est la solution à vos problèmes ?

Les religions, trop souvent, ne sont que des décorations. Il faut connaître les textes, il faut connaître l'ordonnance des cérémonies. Mais tout cela n'est pas important. Les religions et les philosophies font trop appel à l'imagination et c'est pourquoi elles deviennent faibles. Vous devez couper ces décorations et chercher ce qui est important. Trouver la véritable essence de toute religion.

— *Est-ce que la notion de péché existe pour quelqu'un qui pratique le zen ?*

— Le problème du péché dans le christianisme et dans le bouddhisme est différent.

Dans le christianisme, il y a le péché originel : Adam, Ève, la pomme et le serpent. Dans le bouddhisme, toutes les existences ont la nature de Dieu ou de Bouddha. Notion tout à fait différente et très difficile à expliquer. Chaque existence, même les pierres, tout ce qui est matériel, animal, végétal, tout a la nature de Bouddha, originellement.

Dans la philosophie orientale, il y a deux sortes d'écoles :

Dans la première, c'est de la nature originelle de l'homme que vient l'esprit mauvais.

Mais dans la majorité des écoles, on croit qu'à l'origine de l'esprit, et pour tout le monde, c'est le bien qui existe. Cela est vrai en particulier dans le bouddhisme. Tout le monde a la nature de Bouddha, mais l'environnement et le karma le modifient. Et c'est le karma qui devient péché, karma qui nous est transmis par tous nos ancêtres et qui influence notre esprit pur. Raison pour laquelle le mal est là. Quand il n'y a plus de karma, on peut revenir à l'état normal, originel.

Si on fait zazen, le karma se termine et le péché disparaît. Expliquer plus serait très compliqué. Le bébé dans le ventre de sa mère est sans péché, mais il porte déjà le karma de tous ses ancêtres dans son sang.

Avant-hier soir, il y avait un jeune garçon qui faisait zazen pour la première fois et il a dit : « Vraiment, j'ai compris ce qu'est le vrai silence. Jusqu'à aujourd'hui, je n'étais jamais resté une heure dans le silence. Il n'y a que dans mon lit que je suis silencieux et encore, quelquefois, je parle en dormant ! Mais pendant zazen, là, est le vrai silence. » Je lui ai dit : « Vous étiez déjà silencieux dans le ventre de votre mère ; ce moment-là aussi était silence total. » Mais il m'a répondu : « Ma mère parlait tout le temps et mon karma est mauvais. J'ai toujours envie de parler et pendant zazen, il m'est difficile de ne pas parler. »

Mais à l'origine de chacun, se trouve le silence et vous devez le comprendre. Seul le silence est votre véritable origine.

D'abord le silence puis, de la parole sans arrêt. Cela fait vingt ans, trente ans, cinquante ou soixante ans que vous parlez sans cesse. Alors, vous devenez complètement fatigués et ça se termine par le silence total dans le cercueil. C'est donc le silence qui continue éternellement. Seule votre conscience du silence est éternelle, condition normale de votre esprit. C'est ku, nirvana, san-te. La véritable origine. Dans le zen, on dit qu'il faut retourner au silence originel comme dans le christianisme on dit qu'il faut retourner à l'état d'avant le péché.

Si vous faites zazen, vous revenez à l'état d'avant le péché.

— *Pourquoi évoquer l'image d'un retour aux origines et non pas celle de s'éveiller à ce qui vient ?*

— Qu'est-ce que s'éveiller ? S'éveiller à quoi ? Les Européens ont toujours des idées d'illumination. Le satori aussi veut dire « éveil ». Les gens aiment bien s'éveiller mais à quoi ? Il est plus facile de faire un retour en arrière. Le bébé est pur. Il a la vraie liberté. Il n'est pas du tout compliqué. Il ne pense pas, il n'a pas besoin de faire l'amour, sa nourriture lui est donnée par sa mère, il pleure quand il en a envie... Il ne pense pas.

Il faut que nous comprenions ce qu'est la liberté. Si on pense uniquement avec le cerveau frontal, on devient compliqué : ainsi la philosophie européenne est-elle devenue compliquée.

Il faut retourner à l'origine de l'être humain. C'est difficile.

C'est un koan...

— *Peut-on dire que le tigre, le chat, les animaux en général vivent le vrai zen ?*

— Oui, les animaux vivent le vrai zen. Puisque les animaux sont comme cela, l'homme doit être en progrès par rapport à eux. Les pigeons sont très simples, très paisibles, pas du tout compliqués, Parfois, vous devez suivre la vie des animaux, mais vous devez aussi vous servir de votre cerveau frontal.

Les Européens aiment être tout d'un côté ou tout de l'autre : ou ils aiment la religion ou ils la haïssent; toujours l'histoire des oppositions. Nous devons harmoniser la religion avec le communisme, le capital américain avec l'esprit arabe. Toujours en lutte et en opposition, on ne peut pas trouver la véritable paix. Il faut donc une théorie intermédiaire. Personne ne l'a trouvée. Seul, le zen peut y arriver.

C'est le principe des cinq propositions du bouddhisme : pas seulement thèse, antithèse, synthèse, mais aussi harmoniser l'ensemble et embrasser toutes les contradictions.

L'ÊTRE HUMAIN

生死

L'EGO

— *Qu'est-ce que l'ego ?*

— L'ego est l'ego. C'est zazen... comme dans la phrase de Socrate : « Connais-toi toi-même. »

Je dis toujours : vous devez comprendre l'ego... et à la fin il n'y a pas d'ego, il n'y a pas de substance à l'ego. Où situer cette substance... le nez ? le cerveau ? le nombril ? la tête ?... Difficile. L'esprit ? Mais qu'est-ce que l'esprit ? Cela devient un problème, le plus grand problème de la psychologie, de la philosophie et de la religion.

J'ai expliqué que nous n'avions pas de noumène. L'ego change d'instant en instant ; hier, aujourd'hui... il n'est pas le même. Notre corps change, nos cellules aussi. Quand on prend un bain, par exemple, toutes les cellules mortes de la peau s'en vont. Notre cerveau, notre esprit changent et ainsi de l'enfance à l'âge adulte ils ne sont pas identiques.

Alors, où existe l'ego ? Il est un avec le cosmos. Il n'est pas seulement le corps, l'esprit, mais il est Dieu, Bouddha, la force cosmique fondamentale.

Trouver la véritable éternité n'est pas égoïste, mais authentique vérité, vrai noumène ; telle est la vraie religion que nous devons créer.

Notre vie est reliée au pouvoir cosmique, elle est en

interdépendance avec toutes les existences. Nous ne pouvons pas vivre seuls ; nous dépendons de la nature, de l'air, de l'eau. Aussi ne devons-nous pas devenir égoïstes... cela est le grand satori.

Inutile d'être égoïste car chacun est en interdépendance avec tout le monde et avec toutes choses. Aussi, il n'est pas nécessaire de garder pour soi.

Cela est très important.

Montaigne aussi, dans ses *Essais*, a écrit : « Tout le monde regarde au-dehors, moi je veux regarder à l'intérieur. » Il est nécessaire de tourner son regard vers l'intérieur alors que la plupart ne regardent que vers l'extérieur. Dans la civilisation moderne, plus que jamais, nous devons regarder en nous-même. Le regard objectif est aisé, le regard subjectif ne l'est pas...

— *Vous avez dit que nous devions avoir un ego et être au-delà de l'ego. Qu'est-ce que cela signifie ?*

— Il semble y avoir contradiction. Mais avoir un ego fort n'est pas la même chose qu'avoir un ego égoïste.

Vous devez avoir confiance en vous-même. Vous devez trouver votre véritable ego et en même temps abandonner votre ego. Si vous continuez zazen, votre véritable ego devient fort et vous trouvez votre moi propre. Vous n'êtes pas interchangeable avec un autre corps. Vous n'êtes pas seulement composé d'organes et de cheveux. Vous avez votre propre originalité. Mais pour la trouver, vous devez abandonner votre ego, tout abandonner pour que seul subsiste le véritable ego.

Chacun a un karma, porte de la boue et de la poussière, Mais purifié de tout cela, vous pouvez trouver votre véritable originalité.

— *Être différent des autres signifie aussi solitude. Est-ce possible à travers zazen d'apprendre à être seul, d'accepter la solitude ?*

— Si vous continuez zazen, vos caractéristiques changent. Votre visage triste se transforme du tout au tout, inconsciemment, naturellement, automatiquement. C'est la voie qui vous change, qui vous ramène à la condition normale.

Vous ne devez pas tenter d'échapper à la solitude en devenant trop « diplomate » ou en dépendant des autres. La solitude est bonne. Le zen, c'est la solitude. Devenir intime avec soi-même pendant zazen, c'est être complètement seul, mais avec les autres, avec le cosmos.

— *Qu'est-ce que l'individualité ?*

— L'individualité et un ego fort sont deux choses différentes. Revenir à sa propre originalité est très important : vous et moi ne sommes pas semblables. Vous n'êtes que vous. Vous devez trouver votre moi propre. Par zazen, vous pouvez couper votre mauvais karma.

L'éducation moderne uniformise tout le monde ; c'est une éducation de masse et même les parents sont incapables de saisir l'individualité profonde de leurs enfants.

Par zazen, vous pouvez réaliser cette individualité, la rendre forte. C'est le devoir d'un homme religieux d'enseigner cela aux autres. De nos jours, on n'éduque que l'intellect, pas l'individu en tant que tel.

— *Vous dites que lorsqu'on fait zazen, on est Bouddha ou Dieu, et d'autre part, vous dites qu'il faut abandonner l'ego... Comment est-ce conciliable ?*

— Si vous abandonnez l'ego, vous devenez Dieu ou Bouddha ! Lorsque vous abandonnez tout, lorsque vous vous dépouillez de toutes choses, quand vous en avez terminé avec votre conscience personnelle, à ce moment-là vous êtes Dieu ou Bouddha... Quand tout est achevé. Il n'y a aucune contradiction.

Mais si vous vous dites : « Maintenant, j'ai tout abandonné et je suis Dieu... », si vous pensez que vous êtes Dieu, vous n'êtes pas Dieu du tout. C'est là l'important et tout le monde se trompe sur ce point. Nous ne pouvons pas certifier nous-même que nous sommes Dieu. Si je dis : « J'ai le satori », c'est de la folie.

Un fou dit toujours : « Je ne suis pas fou du tout, je suis dans ma condition normale... » Si le fou disait : « Peut-être ne suis-je pas tout à fait bien. Peut-être est-ce que je me trompe dans ce que je fais », alors sa folie ne serait pas tellement profonde et on pourrait sûrement le guérir. Mais s'il dit qu'il est Dieu ou Bouddha, alors sa folie est incurable.

Quand tout est achevé, rejeté, on devient Dieu ou Bouddha.

Pour celui qui regarde la posture de zazen, la posture elle-même est Bouddha ou Dieu ! La chose authentique est inconsciente.

C'est une bonne question et tout le monde se trompe à son propos. Il en est toujours question dans les sutras et tout le monde discute de cela.

C'est pourquoi je répète inlassablement qu'en faisant zazen, ce n'est pas la peine de se dire : « Je dois devenir ceci ou cela. » Inconsciemment, naturellement, automatiquement vous pouvez le devenir. C'est l'essence du Soto Zen.

Mushotoku... sans but... sans objet, uniquement concentré sur la posture de zazen.

— *Vous avez écrit que « lorsqu'on fait zazen, on entre dans son cercueil ». Bien que sachant qu'on n'existe pas, on garde quand même le sentiment d'exister !*

— Bien sûr. On n'est pas mort ! Si vous ne sentiez pas votre existence, vous seriez complètement mort ; j'ai dit que vous deviez faire zazen comme si vous entriez dans votre cercueil. C'est un exemple.

Pourquoi la mort devient-elle toujours un problème dans les religions ? Parce que les gens sont égoïstes et que l'ego est important. Si on peut résoudre la question de la mort, à ce moment-là, on abandonne complètement l'ego. Si on n'a pas peur de la mort, on n'est pas égoïste. Aussi je dis qu'il faut faire zazen « dans son cercueil ». Le vrai zazen, est l'abandon de l'ego. L'ego n'existe pas. Pas de noumène... C'est le satori.

Qu'est-ce que l'ego : les oreilles, le nez, le cœur, le cerveau ? Est-il séparé du reste ? Tout le monde est égoïste et, à la fin, « on est vécu » par l'ordre cosmique. On ne peut pas arrêter le cœur, ce n'est pas possible. On ne veut pas penser et les pensées surgissent. On vit par interdépendance, par le pouvoir de l'interdépendance. La substance n'existe pas. Aussi peut-on l'abandonner.

Si on comprend cela, si on abandonne l'ego, alors on peut devenir complètement heureux. Mais quand on est attaché à soi, on ne peut pas être heureux.

Les gens égoïstes deviennent malades, leur vie n'est

pas libre. Mais en diminuant leur égoïsme, ils peuvent devenir heureux. Les vrais religions enseignent toutes cela.

Dans le christianisme, Jésus s'est sacrifié pour tous les êtres, aussi est-il vivant. Les religions enseignent d'abandonner l'ego pour aider, servir les autres : c'est ce qu'il y a de plus difficile pour l'être humain. La civilisation moderne est on ne peut plus égoïste. Les hommes sont malheureux. Abandonner l'ego est difficile, mais il faut influencer les autres.

— *Pendant zazen, quand on a peur d'abandonner son ego, quelle est la bonne attitude d'esprit?*

— Ce n'est pas la peine d'y penser. Continuer à pratiquer est important. Dans le reflet du miroir, la forme de votre visage apparaît; vous vous reflétez vous-même, vous pouvez voir, comprendre votre esprit, connaître votre véritable ego.

— *Je ne comprends pas le symbole du miroir dans l'Hokyo Zan Mai : « Le reflet, l'image, c'est moi, mais je ne suis pas ce reflet, cette image. »*

— Pendant zazen l'ego subjectif peut regarder l'ego objectif, et inversement. Nous pouvons nous rendre compte que nous ne sommes pas tellement bons, et même parfois pires que les autres, car pendant le zazen profond les vrais désirs se révèlent. Nous pouvons les voir complètement.

Nous avons toujours deux égo mais cela ne veut pas dire une double personnalité.

Ainsi l'ego objectif est le bon esprit. C'est l'esprit de Dieu, c'est l'esprit de Bouddha, celui qui voit. Nous pouvons nous observer profondément, nous éveiller et réfléchir. A ce moment-là nous devenons purs et nous pouvons nous purifier davantage.

Dans la vie de tous les jours, nous ne pouvons pas être vraiment purs. Mais à la longue, avec l'expérience acquise à travers la pratique de zazen, notre vie se purifie, même si elle est rendue très impure par notre excès de désirs. Dans la vie quotidienne nous ne pouvons pas atteindre une complète pureté en raison de notre karma. Chacun a le sien. Pour une complète pureté le cercueil est ce qu'il y a de mieux!... C'est pourquoi la religion est nécessaire dans la vie.

Cependant, après le zazen, la pureté s'éloigne car les deux aspects existent dans l'être humain. Mais si nous avons l'expérience de la vie religieuse, cet esprit objectif aménagera un bon ego subjectif et l'esprit deviendra frais et libre.

— *Maître Dogen a dit : « Je ne suis pas les autres. »*

— C'est une grande histoire et un koan.

Je ne suis pas les autres. C'est moi qui dois agir. Si je ne pratique pas, je ne peux pas expliquer.

Voici, par exemple, l'histoire célèbre sur les champignons :

Maître Dogen était allé en Chine pour trouver la vraie sagesse, comprendre le zen. Mais il n'était pas arrivé à comprendre bien qu'il ait étudié beaucoup de choses. La civilisation du bouddhisme, du zen, était alors très répandue en Chine et il était allé de temple en temple. Cependant il n'était pas satisfait de l'enseignement reçu et il voulait rentrer au Japon. Puis, un jour, il arriva dans un petit temple. C'était l'été, il faisait très chaud. Il y avait un très vieux moine qui travaillait et son travail consistait à faire sécher des champignons. Il étalait les champignons sous le soleil malgré son âge.

Maître Dogen vit cela et lui posa une question : « Pourquoi travaillez-vous, vous êtes un vieux moine et vous êtes un supérieur. Il faut utiliser les jeunes pour faire ce travail. Ce n'est pas la peine de travailler. De plus aujourd'hui il fait très chaud. Faites cela un autre jour. » Maître Dogen était alors jeune. La réponse du vieux moine, très intéressante, est devenue une réponse historique du Soto Zen.

C'est ainsi que Maître Dogen trouva le satori.

Le moine lui dit : « Vous êtes venu du Japon, jeune homme, vous êtes intelligent vous comprenez le bouddhisme, mais vous ne comprenez pas l'essence du zen. Si je ne fais pas cela, si je ne travaille pas ici et maintenant, qui pourrait comprendre cela ? Je ne suis pas vous, je ne suis pas les autres. Les autres ne sont pas moi. Aussi, les autres ne peuvent pas expérimenter. Si je ne travaille pas, si je n'expérimente pas ici et maintenant, je ne peux pas comprendre. Si un jeune m'aidait à travailler, si je le regardais, je ne pourrais pas avoir l'expérience de faire sécher les champigons. Si je disais : " faites ceci, faites cela. Mettez cela ici ou là ", je ne pourrais pas en faire l'expérience. Je ne pourrais pas comprendre l'acte de l'ici et maintenant... »

« Je ne suis pas les autres et les autres ne sont pas moi. » Maître Dogen fut très surpris et il comprit. Il était très intelligent. Alors, il se dit : « Je dois rester encore en Chine. » Il avait étudié dans les livres, il cherchait avec son cerveau et pensait tout le temps, mais à ce moment il comprit : « Si je n'expérimente pas, je ne pourrai pas comprendre le vrai zen. Le zen ne peut pas être saisi par le cerveau. »

Le vieux moine et Maître Dogen se sont compris. Maître Dogen fut surpris et profondément marqué. Puis, Maître Dogen continua : « Pourquoi faites-vous sécher ces champignons aujourd'hui, faites-le un autre jour », et le vieux moine répondit : « Ici et maintenant est très important. Faire sécher les champignons, on ne peut pas le faire un autre jour. Si ce moment se perd, on ne pourra plus les faire sécher : il pleuvra peut-être ou le soleil ne sera peut-être pas assez fort. Il faut une journée chaude pour faire sécher les champignons, alors le faire aujourd'hui est juste. Allez, partez maintenant, je dois travailler ! Si vous voulez trouver le vrai zen, vous devez allez voir mon Maître au dojo. » Alors Maître Dogen alla voir le Maître de ce vieux moine, qui l'éduqua. Il comprit le vrai zen qu'il n'avait pas pu comprendre jusqu'à ce jour.

Maître Dogen resta un an dans ce temple puis il reçut le kesa de la transmission. Après il retourna au Japon. Mais le principe de sa philosophie est resté : « Ici et maintenant, les autres ne sont pas moi, je ne suis pas les autres. » « Si je ne pratique pas, je ne peux pas comprendre. Si quelqu'un d'autre fait, je ne peux pas être dans ce qu'il fait. » Voilà un premier point.

L'autre est « shikantaza, seulement zazen ». Pas besoin de koans, pas besoin de penser ; seulement zazen. Descartes a dit : « Je pense, donc je suis. » Je dis : « Je ne pense pas ; c'est pourquoi j'existe. »

Si on fait des catégories, si on pense trop, on limite sa conscience. Mais notre conscience est très profonde comme le cosmos. Elle est en relation avec lui. Si on ne pense pas, la conscience devient éternelle, cosmique. Cela est très important. Pendant zazen, si on pense, on ne peut atteindre la conscience cosmique parce qu'on se limite. On ne peut pas atteindre l'illimité.

Si on ne pense pas, on peut penser inconsciemment. Si je ne pense pas, j'existe ici ; je ne pense pas, donc je suis.

— *Mais que l'on pense ou que l'on ne pense pas, on existe quand même. Les deux sont importants. Lequel vient en premier ?*

— Si on ne pense pas, on existe éternellement, parce qu'alors la conscience est illimitée, éternelle. Elle continue jusqu'à Dieu, Bouddha, le cosmos, la vérité.

Quand l'ego a disparu, il n'y a plus dualité. S'il y a moi et les autres, c'est une dualité. Quand il n'y a plus de moi, il n'y a plus les autres. Il y a interdépendance. C'est la non-pensée.

Vous ne devez pas limiter votre pensée avec les mots, avec les phrases. Si vous faites des catégories par vous-même, à ce moment-là, les mots ne conviennent pas. Les Européens créent toujours des catégories avec le vocabulaire et quelquefois, ils trouvent des contradictions. Il y a toujours les deux dans le langage. Quand je dis : « Qu'est-ce que cela ? » « Cela est cela. » Mais cela est la dernière réponse. « Qu'est-ce que cela ? » « C'est un kyosaku. » Mais répondre « c'est du bois » est vrai aussi. « Qu'est-ce que cela ? » « du chêne » n'est pas une erreur. Dans le zen, les discussions sont toujours comme cela. Quelqu'un dit : « La flamme bouge. » Un autre dit : « Non, ce n'est pas la flamme, c'est le vent qui bouge. » Un autre, plus intelligent, dit : « Ce n'est ni la flamme ni le vent, c'est votre esprit qui bouge. » Et enfin, une autre personne dit : « Ce n'est ni le vent, ni la flamme, ni votre esprit. » Vous devez comprendre pourquoi les autres ne sont pas vous. Si je ne peux pas faire, je ne peux pas expliquer. Je ne suis pas les autres. Je suis ce que je suis. Je suis moi-même. Pas besoin de suivre les autres.

Il y a beaucoup de significations. « Je suis moi. » « Pas besoin de suivre les autres. » Je dois décider par moi-même. Je dois faire par moi-même. Les autres ne sont pas moi, c'est vrai, mais d'autre part mon esprit et votre esprit ont la même substance. Je suis semblable au ciel et à la terre. Quand on abandonne tout, on devient l'autre. C'est l'abandon de l'ego. Ne pas faire d'erreur.

Tel est le koan des champignons de Maître Dogen.

LE KARMA

— *Qu'est-ce que le karma ?*

— J'ai déjà fait de nombreux commentaires à ce sujet. Karma veut dire « action ».

Si vous frappez, tirez, pointez le doigt, ces gestes ont une influence. De même zazen a une influence, ici et maintenant et pour le futur.

Il y a le karma du corps, de la parole et de la conscience. Si vous tuez un homme, même si vous échappez à la justice, un jour, certainement, le karma de cette action apparaîtra dans votre existence ou dans celle de votre descendance. Ce n'est pas un problème de morale...

Le meilleur karma est zazen : la posture du corps est simple et exacte. On est silencieux et l'esprit est au-delà de la pensée. Le karma disparaît. Inutile d'essayer de s'en échapper ou de le recouvrir. En revanche, il faut créer un bon karma.

Pendant zazen, on laisse passer les rêves, les illusions et ceux-ci disparaissent. Ne pas penser signifie avoir une pensée fraîche. Zazen rafraîchit le cerveau, la noblesse se dessine sur les visages. Si on met au repos le cerveau frontal, siège de la pensée, la sagesse infinie jaillit...

— *Est-ce que destinée et karma ont la même signification ?*

— Non, ce n'est pas pareil.

Karma égale action. Action de notre corps, de notre conscience, de nos paroles. Par exemple, si je vous donne un coup de poing, c'est du karma, c'est une action qui devient karma. Quand on parle, on engendre un karma. Si on pense, on crée un karma engendré dans notre conscience alaya. Si on vole, cela devient karma, un karma qui ne sera pas bon et portera de mauvais fruits.

Lors d'une session, un de mes disciples ne se conduisait pas bien, trop de sexe, trop de boisson, et le jour du départ, il a eu un accident de voiture avec une demoiselle. Le karma revient vite à la surface. Même les petites choses remontent. Si nous faisons quelque chose par le corps, la parole, la pensée, certainement un karma se trouve engendré.

Quand vous naissez, vous avez un karma : par exemple celui des ancêtres, des grands-parents. Les esprits sont différents. Mais on peut changer le karma alors que le destin est une constante.

Si vous faites zazen, votre karma se modifie complètement et devient meilleur.

Pendant zazen, votre corps engendre le plus haut karma car la posture est la plus haute action. C'est pareil pour la parole ; les paroles ne sont pas tellement bonnes et être silencieux est le meilleur karma. Pendant zazen, la conscience également est la plus haute et crée le karma le plus haut. Ainsi vous pouvez transformer votre mauvais destin en bon destin.

Le karma est un des principes du bouddhisme et on retrouve le même problème dans les autres religions : comment changer son karma ? Comment couper le mauvais karma et avoir un karma meilleur ? Je pense que zazen reste la meilleure méthode.

La conscience est très importante. Les autres religions ou philosophies ne s'attachent qu'au karma du corps et de la parole. Mais comment créer un bon karma par la pensée ? Par la conscience hishiryo.

— *Où commence le karma individuel ?*

— Ici et maintenant. Il apparaît, tout le temps, à chaque instant, même pendant zazen... Il n'y a que dans le cercueil qu'il n'apparaît plus.

— *Et en dormant ?*

— Vous rêvez : c'est le karma qui remonte à la surface. Vous bougez, vous vous grattez... même dans le lit, l'homme fait des actions ! Quand il a trop bu, il ronfle. Le karma remonte, il apparaît partout. Cela est le karma.

Si vous êtes venu ici et avez fait zazen, c'est sûrement que votre karma passé est remonté à la surface. Le fait d'être venu ici signifie qu'un bon karma du passé vous a poussé.

Choisir de faire les dix mille bonnes actions est difficile. Mais faire zazen est une action absolue. Rien que cela est un bon karma infini et, certainement, ce karma-là aussi remontera à la surface. Même pour celui qui fait zazen une seule fois et s'arrête, ce karma-là influencera son existence.

— *Si on a un mauvais karma, comment peut-on être intéressé par zazen ?*

— Tout le monde a un mauvais karma. Vous avez, vous aussi, un mauvais karma. Le karma n'est pas seulement un. Il y a beaucoup de sortes de karma. La source est très pure, les affluents deviennent bourbeux. Toutes vos pensées, toutes vos actions influencent votre corps, votre visage. Chaque chose devient karma. Si vous mentez, vous créez du karma.

Chanter l'Hannya Shingyo est un bon karma. Fermer la bouche dans la vie quotidienne, est un bon karma. Tout le monde parle tout le temps. Le silence est un bon karma.

Si vous avez envie de bonne nourriture et que vous n'en mangez pas, vous créez un bon karma. Trop boire de whisky ou de cognac et s'arrêter devient un bon karma. Chaque chose devient karma.

Faire zazen est le plus grand et l'absolu karma. Le karma n'est pas seulement une chose. Les deux plateaux de la balance doivent toujours être en équilibre : une bonne chose contrebalance une mauvaise !

— *Qu'est-ce que veut dire : « Se confesser de son mauvais karma » ?*

— Observer sa vie passée : « J'ai été bien ou j'ai été mal. » Quand on fait zazen, on peut connaître de plus en plus profondément ses points faibles, ses mauvais côtés — pas seulement au point de vue moral. On ne peut pas se mentir à soi-même. C'est cela la confession.

« Je continue zazen et plus ça va, plus je vois que je suis vraiment le pire. » Si vous comprenez cela, c'est que vous devenez profond. Si vous comprenez objectivement votre ego, vous êtes pareil à Dieu.

C'est la plus haute dimension. Pendant zazen, on peut comprendre. Ce n'est pas la peine de se confesser à d'autres, mais à soi-même. Voilà la confession la plus grande.

Le véritable fou ne peut pas comprendre qu'il est fou, mais un fou, comprenant qu'il est fou, n'est pas fou. La condition normale de l'esprit est satori !

— *Lorsque l'on sait que l'on a des défauts, de mauvaises caractéristiques vaut-il mieux lutter contre ou les oublier dans le silence et laisser le changement se faire automatiquement ?*

— Les deux. Les Européens séparent toujours et créent un dualisme ; mais en fait les deux attitudes sont nécessaires. Vouloir changer c'est avoir un but, et c'est inutile. Un obstacle et vous trébuchez. Mais parfois il est bon d'avoir un but.

Si vous voulez comprendre réellement et profondément il ne faut rien avoir. C'est *shikantaza.* Si pour obtenir vous luttez toujours, vous serez tel un ascète et deviendrez comme un ermite dans une montagne ; ce n'est qu'une des formes de l'égoïsme.

Si vous continuez la pratique de zazen, vous serez au-delà des qualités et des défauts.

De même que le peintre vous devez abandonner votre ego pour réaliser un chef-d'œuvre.

Se concentrer sans but, ici et maintenant, et ne pas s'attacher à vouloir changer.

— *Qu'est-ce que les bonnes actions ?*

— La pratique de zazen est la seule action absolue. Même si on veut faire dix mille bonnes actions, ces bonnes actions restent difficiles à réaliser : être gentil avec quelqu'un, par exemple... Il y a des tas de bonnes actions mais, si vous n'êtes pas sans but, il est difficile pour vous de les pratiquer.

Si vous faites zazen, vous pouvez être gentil, aimer sans but, inconsciemment, naturellement, automatiquement. Il n'est pas nécessaire de choisir avec votre volonté propre. On peut tout faire mais il ne faut pas choisir !

Les gens modernes veulent entreprendre de bonnes actions. Le cerveau comprend : « Il faut agir comme ceci, comme cela »... il crée des limites. C'est la volonté, votre volonté propre, qui veut diriger et tout devient compliqué.

Si vous suivez l'ordre cosmique, vous pouvez créer le vrai bon karma en retournant à la source du zazen. C'est la foi. C'est une action religieuse.

Si vous y pensez par votre conscience personnelle, si vous devez faire telle ou telle chose en suivant l'éthique ou la morale, la vie devient difficile. Vous limitez votre existence et vous ne pouvez trouver la vraie liberté.

Mais si vous pratiquez zazen, vos actions deviennent libres. Inconsciemment, naturellement, automatiquement.

ILLUSIONS, ATTACHEMENT, SOUFFRANCE

— *Qu'est-ce que la souffrance, et pourquoi souffrir ?*

— C'est uniquement votre esprit qui souffre. Si vous êtes anxieux, vous souffrez; mais si vous coupez les racines de l'anxiété, cette souffrance disparaît.

Le Bouddha se posa aussi cette question.

L'ego ne souffre que pour lui-même, sans lui la souffrance n'existe plus. Cette souffrance est celle de la conscience que l'on a de la vie, de la famille, des désirs, de l'avenir. C'est pourquoi le bouddhisme recommande de couper avec la famille, l'argent, la société, etc.

Mais ceci ne s'applique qu'au niveau de l'esprit et non à celui de la forme. Si vous coupez votre amour pour votre famille vous pourrez par la suite l'aimer réellement et profondément, sans égoïsme.

La compréhension de ce qu'est l'ego engendre cet amour profond et vrai, amour sans but et sans profit qui est universel et éternel.

La souffrance est alors inutile.

L'amour, le travail ne provoqueront plus de souffrances, les racines seront coupées, « comme dans un cercueil ».

A l'intérieur de vous-même, il ne restera plus rien, l'ego abandonné signifiant le vrai bonheur.

A l'extérieur pourtant on continue à agir, aimer, travailler, il n'y a là aucune contradiction. C'est la condition normale permettant l'harmonie avec les autres par la vraie liberté intérieure et la vraie simplicité. La religion, c'est suivre cette liberté intérieure et non pas une quelconque morale. La vraie religion, c'est s'harmoniser avec l'extérieur, avec la société, avec tout ce qui nous entoure. Telle est la place du bodhisattva, la place du moine.

Le problème de toutes les religions est de supprimer la souffrance ; ce problème est leur source, et la source de toute vie spirituelle. La plus grande souffrance est la mort. C'est pourquoi nous avons besoin d'une vie spirituelle.

— *Comment échapper aux complications de la vie ?*

— Les complications signifient : ne pas avoir assez de sagesse. Quand on devient sage, on perd ses complications.

Si vous voulez devenir profond, vous devez traverser vos complications. Si vous voulez comprendre le zen, traversez les difficultés d'une sesshin. Si vous traversez ces difficultés, vous pourrez comprendre. Il faut les traverser pour devenir fort. Ceux qui n'ont pas eu de complications ont un visage, un esprit différents ; après les difficultés, s'ils ont compris, ils reviennent à la véritable simplicité de l'enfant, au véritable esprit. Ils ne peuvent pas retourner à des situations compliquées.

— *Est-il nécessaire de passer par la maladie, la mort et la souffrance pour parvenir à ku ?*

— Cette expérience est mujo, l'impermanence, la source même du bouddhisme, l'expérience originelle du Bouddha.

Comment résoudre les souffrances ? Cette question est à l'origine de presque toutes les religions. Mais inutile de se dire : « Je dois comprendre la souffrance et pour cela il faut que je souffre. » Vous en ferez sûrement l'expérience dans votre vie. Si vous faites zazen, vous pouvez connaître votre souffrance objectivement. Puis le temps passe et elle devient comme un rêve.

Dans la souffrance, il faut parfois s'observer objectivement, comme en zazen. Elle ne revêt plus alors autant d'importance. Elle disparaît, comme les désirs et les peines s'évanouissent à l'instant de la mort.

— *Est-ce qu'en s'asseyant pour zazen, par le contrôle de l'esprit et de la posture, on peut couper l'attachement et les désirs ?*

— Oui, mais pas en une seule sesshin. C'est pourquoi il faut continuer la pratique.

Couper l'attachement est très dur. L'attachement représente le karma non manifesté. On comprend intellectuellement qu'il faut rejeter l'attachement mais en pratique c'est très difficile à réaliser.

Si on continue zazen, inconsciemment, naturellement, automatiquement, l'attachement décroît et, à la fin, si l'on veut s'attacher à quelque chose, on ne le peut plus. Satori.

Un de mes disciples m'a demandé : « J'ai une fiancée et je lui suis très attaché. Comment couper cet attachement ? » Je lui ai répondu : « Prenez deux, trois, plusieurs fiancées. De cette façon l'attachement changera, se répartira et décroîtra. A la fin, vous serez fatigué et plus du tout attaché. »

Si vous continuez zazen, il n'y a plus de volontarisme. Inconsciemment, vous devenez paisible. Quand vous faites zazen, vous pénétrez dans votre cercueil où rien n'est plus tellement important, où il n'y a plus besoin de s'attacher. Si vous êtes attaché, votre action ne peut pas être équilibrée puisque vous agissez avec passion... Mais par zazen l'attachement subjectif disparaît, vous pouvez devenir fort, agir de façon forte et vous harmoniser. Alors l'esprit intérieur devient complètement calme.

— *Est-ce que le fait de vouloir la vie éternelle de l'âme n'est pas une forme d'attachement ?*

— Oui, tout le monde désire cela. Mais dans l'attachement tout n'est pas mauvais. Par exemple, l'attachement à zazen. L'attachement au satori est mieux que l'attachement au sexe. Ce n'est pas un attachement mais un espoir, un idéal.

— *Bouddha est-il devenu Bouddha en ayant coupé toutes ses illusions ?*

— Il lui en restait sûrement un peu !

Ce n'est pas possible de tout couper, même pour Bouddha. Mais il pouvait voir son karma pendant zazen et obtint ainsi le satori. Il n'a vu que la racine du mal et ainsi il a pu tout comprendre. On ne peut pas tout couper, même pendant zazen... Mais on voit en soi-même le processus de l'erreur et cela est satori.

Pendant zazen, si vous pensez que vous avez le satori, vous êtes un peu fou. S'il avait pensé cela, le Bouddha n'aurait pas eu le satori. Mais il a compris son karma et c'est cela l'important de son expérience.

Vous devez comprendre votre karma. Si vous comprenez vraiment, si vous vous confessez à vous-même, vous obtenez le satori et vous pouvez faire décroître votre karma.

— *La liberté est-elle quelque chose de réel ou d'illusoire ?*

— La vraie liberté est celle qui est à l'intérieur de l'esprit. Objectivement certaines personnes semblent libres mais subjectivement elles ne le sont pas du tout. Je me sens libre malgré les préceptes. Je n'ai pas tellement de désirs, je vis simplement. Même lorsque je connais des échecs, même si ma mission échouait, je me retrouverais avec simplement mon kolomo, mon crâne rasé et mon kesa à dormir sur le bord de la route — vrai moine zen.

Les gens ambitieux et pleins de désirs sont toujours en quête de liberté mais ils ne peuvent pas l'atteindre ; ils sont toujours anxieux, tristes, leurs désirs ne font que croître et ils finissent par être malades, névrosés. La liberté ce n'est pas faire ce que l'on veut. Trop de satisfactions aux désirs ne conduisent pas à la liberté, car les désirs de l'homme sont illimités.

Il vaut mieux faire décroître ses désirs.

La liberté est une chose différente pour chaque âge, chaque karma. Les jeunes ne doivent pas devenir étroits sous prétexte de limiter les désirs. La voie du milieu, l'équilibre sont importants.

Autant que possible il faut sublimer les désirs ; ainsi vient la liberté, grâce à un idéal spirituel.

— *Vous parlez souvent de la plus grande liberté offerte par zazen, et vous dites aussi qu'on ne peut complètement en finir avec les illusions. N'y a-t-il pas là une contradiction ? Comment concilier illusions et liberté ?*

— C'est possible. Les illusions finissent vraiment dans le cercueil, mais il est important de les contrôler. Les couper avec une ceinture de chasteté rend hystérique...

Alors comment les contrôler par la pratique de zazen ?

Contrôler ne veut pas dire couper. Dans la vie moderne, si l'on veut gagner de l'argent par exemple, on se concentre sur l'argent, mais sans courir après, sans s'attacher à cet argent. On le reçoit sans avidité, sinon il s'enfuit... comme le chat. Demeurer paisible, non anxieux, est mieux. Ainsi, par zazen, pouvons-nous contrôler les désirs quand ils apparaissent.

— *Que signifie : satori et illusion sont identiques ?*

— Je dis toujours satori devient illusion et illusion devient satori. En zazen, les illusions montent, passent et s'évanouissent.

Les Occidentaux distinguent toujours entre illusion et satori. Ils font toujours des catégories ; d'un côté le bien, de l'autre le mal. Ce n'est pas si simple. Le bien peut devenir le mal et vice versa. Le malheur peut amener le bonheur, et le bonheur le malheur.

La facilité ne conduit pas au bonheur. Perdre ses nombreuses illusions donne un grand satori. Dans un sutra il est dit que les illusions deviennent l'eau du satori. La relation est la même qu'entre la glace et l'eau : illusion devient satori. Un gros morceau de glace, en fondant, donne beaucoup d'eau et les illusions qui s'en vont en masse donnent le satori. Mais ce serait une erreur de penser que parce qu'on a beaucoup d'illusions, on va avoir le satori.

Après les difficultés vient le bonheur. Plus les difficultés sont grandes, plus le bonheur est grand. Les jeunes refusent la difficulté et ils ne sont plus du tout heureux. Zazen est difficile, mais rend heureux. Si vous continuez régulièrement zazen, et si vous faites l'expérience d'une sesshin, vous serez très heureux ensuite dans la vie quotidienne.

On souffre en zazen mais on devient profond. La personnalité s'enrichit. Toutefois il n'est pas nécessaire de penser qu'il faut souffrir pour devenir profond. Zazen est comme un miroir. Le miroir ne change pas, il est toujours pur et les illusions ne le ternissent pas ! Pendant zazen, on peut se rendre compte qu'on pense ; les illusions passent et défilent devant le miroir. Même si nous mourons, nous pouvons exister éternellement parce que nous sommes sans noumène. C'est un koan.

Si vous pouvez comprendre cela vous devenez libre et en paix !

— *Quand les attachements et les illusions s'évanouissent, que reste-t-il ?*

— Inutile d'être anxieux.

Il vous restera toujours des illusions. Même durant le sommeil on rêve et il est difficile de couper les illusions même pendant zazen. Le nirvana total n'existera que dans votre cercueil.

Dans le bouddhisme Mahayana, on ne cherche pas

vraiment à trancher les illusions, mais à les transformer, à les changer en sagesse, en pureté. Cela est zazen.

Si vous continuez zazen, vous pourrez le comprendre. Nous pouvons réellement métamorphoser nos passions en sagesse. Nous pouvons diminuer ce qui est erroné en nous. Couper toute chose est très difficile, mais les métamorphoser par zazen est possible.

AIDER LES AUTRES

— *Qu'est-ce que la compassion ?*

— *Jihi* est la compassion. L'amour a beaucoup de degrés, de formes. L'amour universel est le plus profond. Si nous avons pitié de quelqu'un, il ne s'agit pas seulement de sa souffrance matérielle, affective, de sa détresse. Nous devons devenir pareil à lui, avoir le même esprit que lui. Comment aider, soulager, guérir ? Nous devons toujours, non pas voir les choses de notre point de vue subjectif, mais devenir l'autre. Sans dualité. Non seulement l'aimer mais nous identifier à son esprit. Dans l'amour, on est toujours deux. La compassion est unité.

Lorsque je vous rencontre, je deviens vous-même. Comment allez-vous ? Pas mal ? Quelqu'un m'a fait un don hier. Je dois lui rendre le double. L'amour souvent c'est le contraire : à la fin, on fuit, on s'échappe... La vraie compassion est authentique sympathie. Nous devons nous oublier nous-même pour devenir l'autre. Mais, la compassion doit toujours aller de pair avec la sagesse. Et la sagesse avec la compassion. Il y a beaucoup d'écrits à ce sujet en Chine et au Japon. En fait, le monde entier le proclame, mais dans le bouddhisme c'est devenu une force puissante.

Dans l'amour, il existe toujours une dualité, une

opposition entre les partenaires. Mais dans la compassion les deux êtres ne font qu'un. L'amour est relatif. La compassion est communion totale de deux êtres. Mais sans sagesse l'amour est aveugle. A notre époque, bien des parents aiment leurs enfants par attachement égoïste. Aussi leurs enfants leur échappent-ils. Trop d'attachement n'est pas véritable amour, véritable compassion.

— *Vous dites que le zen veut atteindre la plus haute sagesse et l'amour le plus profond. Or certains craignent que le zazen développe l'indifférence aux autres et ils opposent à la méditation la charité active prônée par le christianisme. Comment pourriez-vous expliquer en quoi le zazen développe une attitude d'amour ?*

— La dimension ultime dans les profondeurs de l'être, la dimension suprême de la vie est : conscience et amour universel. Ils ne peuvent exister l'un sans l'autre. Vérité et amour sont une seule et même chose. On peut donc dire que la charité active prônée par le christianisme est incluse dans cette dimension et en est l'émanation directe.

Le bouddhisme zen aussi est une religion de l'amour puisque c'est celle des bodhisattvas : abandonner tout pour aider les autres, travailler à leur salut avant son propre salut (cela va encore plus loin que dans le christianisme). Et, parmi les préceptes à observer, le premier est *fuse*, la charité, qui ne consiste pas seulement à donner matériellement, mais à donner moralement aussi, se sacrifier; qui n'est pas seulement donner à quelqu'un, mais se donner, et donner à Dieu, à Bouddha. Mais où puiser la source de cette charité active si ce n'est dans la connaissance de son propre cœur, de son profond ego, qui est celui de tous, dans la méditation ?

L'enseignement du zen consiste aussi à s'harmoniser — dire les sutras ensemble, méditer ensemble, développer cette harmonie ensemble.

Être moine, en japonais, signifie : harmoniser.

La solitude spirituelle intérieure est bonne, mais il faut toujours s'harmoniser avec, se tourner vers les autres.

« Aller tous ensemble, au-delà du par-delà » sur l'autre rive.

— *La recherche personnelle de libération intérieure n'est-elle pas égoïste par rapport à la recherche de libération collective ?*

— Les deux sont nécessaires. Si je ne peux pas résoudre mon problème, je ne pourrai pas aider les autres à résoudre les leurs. Il faut que je me libère moi-même de mes problèmes pour aider les autres à se libérer. Les deux sont donc nécessaires.

Les occidentaux veulent toujours aider les autres. Les catholiques aussi veulent aider les autres pour leur salut, et pour leur bien propre. Dans le Mahayana, c'est identique, mais nous devons, avant, nous comprendre nous-mêmes.

— *Vous dites souvent que faire zazen résout le problème de la vie et de la mort. Mais comment résoudre la souffrance des autres ?*

— Vous devez d'abord résoudre vos propres souffrances, car si votre cerveau n'est pas dans sa condition normale, vous ne pouvez pas aider les autres. Vous les ferez devenir encore plus compliqués qu'ils ne sont. Vous m'avez un jour dit vous-même : « Le samu m'a fait résoudre mes souffrances alors qu'avant je souffrais beaucoup. Les poisons de mon corps et de mon esprit se sont évanouis. » Si vous faites zazen, vous pouvez aider les autres. Inutile d'y penser. Faites zazen. Ne compliquez pas. Ensuite vous résoudrez les souffrances des autres. Il faut de la sagesse pour savoir aider.

— *Comment aider les autres concrètement ?*

— Que veut dire aider ?

Être sans but, sans objet est le mieux... Si pendant zazen vous pensez : « Je dois aider un tel et faire zazen pour cela maintenant », votre zazen n'est pas bon. Faire zazen avec l'esprit mushotoku, « non profit », est le plus important ; au-delà de l'objet, c'est le zazen le plus élevé. Pas la peine de penser : « Je dois faire un zazen profond pour aider les autres. » Shikantaza signifie : seulement s'asseoir, sans but. Faire zazen, automatiquement, naturellement, inconsciemment, et son influence deviendra infinie. Dogen a écrit que si une personne fait zazen, ne serait-ce qu'une heure, elle influence tous les hommes, le monde entier. Difficile d'aider les autres. Il ne suffit pas de donner de l'argent.

L'important reste d'être toujours au-delà des catégories sinon on devient étroit, de plus en plus étroit.

La conscience hishiryo est infinie...

— *Que signifie la phrase : « Donner aux riches et recevoir des pauvres » ?*

— Les gens nantis ont toujours peur qu'on leur demande quelque chose. C'est un phénomène psychologique. A l'inverse, ils auront sûrement une bonne surprise si on leur donne quelque chose. Êtes-vous riche ou pauvre ?

— *Je suis pauvre.*

— Si, alors que vous êtes pauvre, vous donnez, ceci est vraie charité. Les personnes riches peuvent toujours faire un don ; mais pour vous il s'agit d'un véritable fuse, d'un don de grande valeur, de grand prix.

Au Japon, il existe à Nara un très grand temple qui se nomme Todaiji. Dans ce temple, il y a une énorme statue du Bouddha. Son fondateur, Maître Genjo, avait été prié par l'empereur de construire un grand temple. Celui-ci se rendit alors sous un pont à Tokyo où vivaient un grand nombre de mendiants. Il leur demanda, après avoir fait sampai devant eux, de donner une aumône. Ils eurent un grand choc, une immense surprise. Puis ils ressentirent une grande fierté.

Chaque jour, Genjo venait faire sampai devant eux. Et chaque jour, ils lui donnaient un peu d'argent. Certains donnaient davantage. Ainsi, il commença à construire le temple. Il leur expliquait ce que serait la statue à édifier et de quelle façon, en participant à cet édifice, ils deviendraient grands dans l'Histoire. Ce Bouddha est assis sur une fleur de lotus.

Les mendiants ont beaucoup donné et toute la journée, ils en parlaient. Avant cet événement, ils demandaient toujours en se plaignant : « Je suis malade, aidez-moi, s'il vous plaît. » Après, ils devinrent de vrais sages, transmettant de profondes paroles. Ils firent don de la moitié de ce qu'ils recevaient pour construire le temple et ceci jusqu'à son achèvement.

— *Quelle différence y a-t-il entre le Bouddha et les bodhisattvas ?*

Difficile à expliquer. Il faudrait pour cela une conférence entière. Le bodhisattva est un Bouddha vivant.

Dans le bouddhisme Mahayana, on ne redoute pas l'enfer. Dans le christianisme, c'est le châtiment suprême.

Dans le zen, quand on doit aller en enfer, on y va. Si on allait à côté du Bouddha, il faudrait faire constamment zazen et ce ne serait pas tellement la liberté... Donc, les gens considèrent qu'aller en enfer est mieux ! Le moine zen doit sauter en enfer pour aider ceux qui souffrent. Le bodhisattva doit sauter dans la souillure de la société. Sauter, et non pas tomber ! Tomber ou plonger dans la Seine est totalement différent. Si on tombe dans la Seine, la seule idée qu'on ait est de sauver sa vie. Si on saute dans la Seine, on nage et on peut sauver celui qui se noie. Les bodhisattvas sautent dans le social pour aider.

Les statues du Bouddha et celles de bodhisattvas sont différentes : Bouddha n'a aucune décoration, alors que les bodhisattvas en portent. Ils n'ont pas besoin de couper leurs cheveux, ils portent les mêmes vêtements que les civils. Ils vivent dans la société. Ils ne changent pas leur vie. Ils sont seulement différents à l'intérieur.

Il est parfois nécessaire de toucher aux souillures : un moine a, ainsi, passé sa vie en prison pour aider les prisonniers. Comme sa conduite était exemplaire, on le relâchait rapidement. Alors, il commettait de nouveaux délits pour retourner en prison. A la fin, il n'y eut plus de prisonniers... sauf lui.

Un maître zen fut, toute sa vie, le comptable d'une maison de geishas. Les geishas sont devenues nonnes (peut-être aussi, quelques nonnes sont-elles devenues geishas... l'histoire ne le dit pas). Il faisait des conférences à tous les hommes qui venaient dans cette maison. Les hommes ont complètement changé et beaucoup sont devenus moines. Cela aussi est la vocation du bodhisattva. Les exemples de ce type abondent.

— *Dogen a critiqué Rinzaï. Les maîtres se critiquent les uns les autres. Que pensez-vous de la critique ?*

— La discussion est nécessaire pour progresser. Les critiques personnelles sont mauvaises et même interdites. Mais les discussions sur les écoles différentes, les doctrines, les philosophies, sont nécessaires. Aussi, parfois, une véritable critique est-elle bénéfique. J'aime recevoir de vraies critiques, elles me font progresser. Les critiques de Dogen à l'égard de Rinzaï furent véritables. Et si vous voulez trouver le vrai zen, l'autocritique est nécessaire. Non une critique égoïste mais un moyen de trouver pour soi ce qui est le mieux, la vraie religion.

— *D'une manière générale, quand quelqu'un se trompe sur quelque chose, faut-il le laisser faire ou essayer de lui montrer son erreur ?*

— Chacun doit comprendre par soi-même. On ne peut pas boire à la place de la vache. On la mène à la rivière, mais c'est elle qui doit boire. On doit comprendre par soi-même !

LE BIEN ET LE MAL

— *Quelle est la conception du bouddhisme sur le bien et le mal?*

— En dernière analyse, on ne peut différencier le bien et le mal. C'est une distinction qui relève du point de vue moral. Un robot pourrait faire le bien et le mal suivant son programme. Les hommes agissent souvent ainsi. Certains ne pensent ni au bien ni au mal...

Les chiens n'ont pas de perception des couleurs. Le poisson dans la mer est heureux, l'homme ne l'est pas. Chacun a son propre monde, chaque personne est différente. Chacun a son dieu différent. Votre monde et celui d'un chat ne sont pas les mêmes. Ce qui est bien pour certains est mal pour d'autres. En fin de compte, on ne peut pas choisir; monde des jeunes, monde des vieux... Pour certains, faire l'amour est bien, pour d'autres c'est mauvais. Mais si notre esprit est illimité, il résout toutes les contradictions. Si on se place à une dimension assez élevée et que l'on regarde en bas, rien n'est tellement bien et rien n'est tellement mal, on ne ressent pas la contradiction.

Pendant zazen, vous pouvez regarder et comprendre tout objectivement. Si vous regardez les choses subjectivement, alors, tout devient compliqué. Vous êtes triste, soucieux. Mais si vous faites un profond zazen, vous rentrez dans votre cercueil et il n'y a plus alors de bien ni de mal. Qu'est-ce qui demeure important face à la mort ? Rien ne l'est tellement. Pendant zazen, on vit subjectivement l'expérience du cercueil, tout devient calme.

— *S'il est difficile de distinguer le bien du mal, alors il ne faudrait pas intervenir dans la vie sociale ?*

— La vie sociale et l'esprit religieux sont deux choses différentes. Dans la société le bien et le mal existent. La loi est limitée par la morale la plus basse. Elle est en rapport avec le karma de l'action du corps et de la parole. Si vous avez de mauvaises pensées, on ne vous met pas en prison. Du point de vue religieux ce n'est pas pareil. Dans la religion la pensée est importante. Dans le zen le fait d'avoir conscience et de savoir définir « comment pensons-nous » est essentiel.

Dans le social, même si on a de mauvaises pensées mais que nos actions sont bonnes, il n'y a pas de crime. Par contre si on fait de mauvaises actions avec de bonnes pensées, on va en prison. L'action seule est prise en compte. Mais en fait, il est difficile de décider de ce qui est bien de ce qui est mal. Tout apparaît comme un rêve... Notre vie est comme un rêve.

L'esprit de Bouddha voit toute chose. Ce n'est pas un problème de morale sociale mais la véritable essence des religions. A ce niveau-là, il est difficile de décider du bien et du mal. Loi morale et religion sont deux choses différentes.

— *Si nous ne pouvons ni choisir, ni refuser, comment pouvons-nous mener une vie morale ?*

— La morale est nécessaire et vous devez la suivre autant que possible. Mais la morale n'est pas tout. Quelquefois elle est nécessaire, quelquefois, pas. Et la religion est au-delà de la morale.

Dans la morale, seules les actions du corps et de la parole sont concernées ; mais l'action de la conscience dépasse son domaine. Comment penser ?

Nous devons trouver la véritable liberté.

Pour la morale, le sexe n'est pas bien. Mais dans le sutra du Lotus, par exemple, il est écrit : « L'orgasme sexuel est le véritable esprit pur du bodhisattva. » Seul le Maître peut lire ce sutra, car pour vous ce serait tout à fait pornographique et si je l'enseignais, ce serait très dangereux. Comment résoudre le problème de la morale ? Il ne faut aller ni à gauche, ni à droite, ni être anxieux à ce propos. L'équilibre est important et c'est ce que j'enseigne.

— *Que représentent les démons dans le bouddhisme ?*

— Je n'en sais rien. Dans le bouddhisme, Dieu, Bouddha et le démon ont parfois le même visage. Il n'y a pas de dualité entre Dieu et le démon, pas de séparation. Ils ont le même visage. Bouddha devient parfois le démon et inversement.

Dans le christianisme, Dieu est seulement un et il peut diriger le démon. Dans le monde moderne, Dieu et le démon sont séparés et Dieu ne peut plus diriger le démon. C'est pourquoi la vie est difficile. L'homme ne peut pas couper son karma de démon. Même si on ne veut pas faire le mal, par le karma on continue à le faire. Pour d'autres c'est le contraire : même s'ils veulent faire le mal, ils ne peuvent pas. Vous pouvez en faire l'expérience. C'est un grand problème qui représente un point important dans le bouddhisme.

Il est difficile de dire ce qui est bien et ce qui est mal sur un plan élevé, car le véritable Dieu inclut toutes choses : bien et mal. Il n'est pas possible de dire « vous êtes mauvais, alors je ne vous aime pas » ou « vous êtes bien alors je vous aime ». La véritable attitude du Bouddha n'est pas ainsi. Le bouddhisme inclut tout le cosmos et toutes choses sont nécessaires. Si on voit avec un œil éternel, même les mauvaises choses deviennent bonnes, et les bonnes, mauvaises. Tout est inclus dans l'univers. Si vous entrez dans votre cercueil et que vous regardez votre vie, elle ne vous semblera ni bonne ni mauvaise.

— *Que veulent dire paradis ou enfer ?*

— Lisez le livre de Dante, ou la Bible des chrétiens. C'est la même chose dans le bouddhisme. Mais, moi aussi, je vous retourne la question car je ne peux pas décider.

Dans le zen, c'est ici et maintenant qu'il faut créer le paradis et non pas l'enfer. C'est nous qui faisons le paradis ou l'enfer dans notre esprit.

Quand j'étais enfant, ma mère me disait : « Si tu es mauvais, tu iras en enfer. Si tu es bon, tu iras au ciel. » J'avais peur, mais, en grandissant, je me suis dit : « J'irai en enfer, on y est sûrement plus libre. Je deviendrai ami avec le diable. » « Si je vais au paradis avec Bouddha, j'aurai toujours des discussions avec ma mère et je n'aurai plus du tout de liberté. » Ainsi vers quinze, seize ans, je discutais toujours avec ma mère et ne voulais plus aller au paradis.

Plus tard, j'ai posé la question à mon Maître Kodo Sawaki. A cette époque, j'étais étudiant et science et logique aidant, je n'y croyais plus du tout. Kodo Sawaki m'a appris que le paradis et l'enfer sont dans notre esprit.

Nous ne pouvons décider si cela existe ou pas. Personne n'en est revenu. Une fois dans le cercueil, personne ne revient pour raconter. Mais ici et maintenant, c'est notre esprit qui fait l'enfer et le paradis. Maître Dogen a écrit profondément sur ce sujet.

Nous devons faire le paradis ici et maintenant. Si nous souffrons, si nous doutons, tout peut devenir enfer. Nous devons construire le paradis. Si notre esprit est en paix, l'atmosphère devient le paradis. Mais certaines personnes créent diable, enfer !

LA MORT

— Vous dites souvent que faire zazen c'est entrer dans son cercueil. Qu'est-ce réellement que la mort dans le zen ?

— Bonne question. Zazen et la mort ne sont pas pareils. La mort signifie cesser de respirer. Tandis qu'en zazen on se concentre sur la respiration. Il n'y a pas de relation. Avez-vous lu le Genjo-Koan ? Il explique de façon précise zazen et sa relation avec la mort. Il faut le lire. Vous comprendrez. Le bois devient cendres ; les cendres ne peuvent redevenir bois, et le bois ne peut voir ses propres cendres. C'est la même relation qu'entre la vie et la mort. Cependant, je dis exactement : zazen revient à entrer dans son cercueil ; vivre le Nirvana, pareil à la mort. Le Nirvana est l'achèvement complet de tout, c'est ku — non shiki. L'activité s'arrête. Tout s'arrête. Cet arrêt total signifie la mort. L'arrêt parfait des trois actions définit la mort.

Mais le bouddhisme Hinayana se trompe quand il déclare que pour aller au Nirvana, il faut cesser de manger, de respirer... Les illusions disparaisent mais on se rapproche de la mort. Bouddha a expérimenté et a fui ces pratiques. Le professeur Akishige explique : « Si la conscience s'arrête, le corps est près de la condition de la mort. » Tranquille. Mais ceci non plus n'est pas la condition normale de la conscience. On devient faible, et un peu spécial. Être près de la mort n'est pas la conscience Hishiryo. Il est possible de cesser pendant un jour, deux jours, quelques jours, de prendre de la nourriture ; Bouddha, lors de ses austérités, prenait un grain de riz par jour. Mais je n'ai jamais dit qu'il fallait pratiquer la condition de la mort. Personne ne voudrait suivre cela. Ne soyez pas anxieux. Il faut manger, mais savoir diminuer ses besoins alimentaires. Dogen a écrit : « avoir le ventre vide n'est pas condition normale » car le corps et la conscience deviennent faibles. Le cerveau devient fatigué et une condition de conscience particulière se développe jusqu'à l'hallucination. J'en ai fait moi-même l'expérience. L'esprit a la mainmise sur le corps. Dans le zen, rechercher une condition spéciale n'est pas la voie. Le Nirvana est aussi équilibre du corps et de l'esprit. Manger est nécessaire. Mais en termes d'éducation je dis : vous devez devenir comme si vous entriez dans votre cercueil. Cela crée un grand choc. Inutile d'entrer vraiment dans un cercueil. Vous pouvez l'imaginer. C'est le « rien ».

— *Ce matin, vous avez dit que l'esprit de Maître Yamada, qui vient de mourir, était dans ce dojo. Que pensez-vous de l'après-mort ?*

— C'est un problème qui préoccupe beaucoup de gens. Pour en parler exhaustivement, je devrais faire une conférence de deux heures.

Après la mort que se passe-t-il ? C'est un problème religieux auquel il n'est pas nécessaire de trop penser. Ceux qui ne veulent pas mourir sont toujours préoccupés par cela. Dans le bouddhisme, on ne fait pas de commentaire sur l'après-mort. L'essentiel est « ici et maintenant ». Les problèmes métaphysiques ne peuvent pas être résolus. On ne peut ni les affirmer ni les nier ; on ne peut rien décider.

Après la mort, que devient l'esprit ? Personne n'est revenu pour en parler. Il ne faut donc pas trop s'attacher à la mort. C'est le sens de la célèbre phrase de Dogen : « Le bois ne peut pas regarder les cendres. » Le bois représente la vie et les cendres la mort.

« Les cendres ne peuvent pas voir le bois. »

On peut aussi comparer la vie aux images qui se forment sur l'écran de la télévision et la mort à l'interruption des images après avoir tourné le bouton.

Si on regarde, notre vision est subjective. Si on tourne le bouton, l'image disparaît.

— *Mais pensez-vous qu'il y ait une survie de l'âme après la mort ?*

— Et vous-même, y croyez-vous ?

C'est un problème très compliqué qui pose des difficultés à la science moderne. Je ne peux pas le nier, mais je ne peux pas y croire. La science ne trouve pas d'âme à l'intérieur du cerveau, ni du cœur, ni en quelconque autre endroit du corps.

Toutefois l'action de notre conscience continue. Notre karma, nos actions, l'action de notre karma continuent. Si vous donnez un coup de poing à quelqu'un cette action continue. Lorsque nous pensons, le karma de cette pensée continue. Quand vous éteignez votre poste de télévision, l'image disparaît de l'écran, mais continue sur les ondes... C'est pareil ! Le monde de maintenant et le monde spirituel se renversent, deviennent opposés, mais ils continuent. C'est un problème à la fois difficile et facile. Mais si je l'explique, vous risquez de mal comprendre.

Je ne crois pas que l'âme monte au paradis ou descendre en enfer. Elle ne peut pas sortir du cercueil pour aller quelque part. Mais l'influence de la conscience se poursuit.

Il y a l'histoire du maître et du disciple qui allaient à des funérailles. « Est-ce que cela vit ou pas ? » demande le disciple en montrant le cercueil. Et le maître dit : « Je ne réponds pas, je ne parle pas ! » Le maître était habile : ni négatif, ni positif.

Penser : « j'irai au paradis retrouver une famille » c'est de l'imagination. Mais répondre : « vous êtes idiot de croire cela » n'est pas une bonne chose. Il vaut mieux rester silencieux.

Moi, j'ai mes idées, mais si je fais des catégories sur ce point, cela deviendra une généralité, alors que pour chacun, je devrai répondre différemment. Il s'agit d'un problème très profond qui touche à l'essence des religions. Il ne faut pas faire de catégories, c'est un problème particulier pour chacun.

— Le principe de la réincarnation apporte bien des réponses aux questions que l'on se pose. Mais le bouddhisme ne donne pas les mêmes réponses que l'hindouisme.

— Oui, la vieille tradition indienne a un peu influencé le bouddhisme. Mais le Bouddha n'aimait pas tellement cela. Vous changez votre incarnation, telle est la réponse du bouddhisme.

Dans le zen, pas de réincarnation. Par exemple un chat devient-il un homme ou le contraire ? C'est une théorie de la tradition indienne, pas tellement importante, même si elle a influencé le bouddhisme Mahayana. L'âme demeure-t-elle après la mort ? C'est un problème de conscience.

Dans la physiologie moderne, on pense que le cerveau et les cellules restent encore vivants deux ou trois jours. Peut-être que chez certains morts, la conscience n'est pas tout à fait morte. Or le dernier état de conscience est très important. On continuera sur cet état de conscience.

Quelle doit être notre dernière pensée ? Si vous avez l'habitude de zazen, votre dernière expiration sera une conscience normale, sans conscience.

Dans les temps anciens, la physiologie n'était pas développée. La part de l'imagination était importante chez les philosophes, chez les religieux : réincarnation, résurrection du Christ... C'est l'eschatologie dans le christianisme : cette fin dernière du monde n'est pas encore arrivée. Mais à la mort de chacun le monde s'arrête et on peut communiquer avec l'éternité.

— *S'il n'y a pas de réincarnation, alors pourquoi le dernier moment est-il important ?*

— L'esprit mushotoku est important. « Il faut que j'aille au Paradis, il faut que je renaisse dans une prochaine vie », pas la peine de penser ainsi. Si vous pensez à quelque chose, si vous avez un désir, vous restez accroché à votre existence passée. Il vaut mieux vivre mushotoku, inconsciemment. Vrai calme, vraie paix.

L'idée du Paradis a souvent trop d'importance : « Si je meurs, j'irai au Paradis. » Créer de telles images dans votre subconscient est inutile. La plus haute attitude est la non-conscience. Si vous avez une pensée, elle ne s'effacera pas pendant ces une ou deux journées de transition. Par l'harmonie avec le système cosmique votre activité, votre conscience retourneront rapidement au cosmos.

Pendant zazen, vous pouvez vous harmoniser avec le système cosmique. La psychologie définit cela comme non-conscience. Le bouddhisme comme conscience alaya. C'est pourquoi je répète toujours que vous devez retourner à cette conscience normale. Pendant zazen, vous pouvez l'atteindre inconsciemment. C'est la conscience transcendantale et de cette conscience naît le juste comportement. Toutes les cellules, tous les neurones en sont activés.

Chaque chose que vous ressentez est ressentie par les neurones. L'influx nerveux leur est directement transmis. Le désir naît des impressions : le désir de continuer, le désir de posséder, et cette activité de la vie est sans répit. Les idées surviennent constamment et la conscience se complique. Il faut donc toujours revenir à la condition normale. Même quand on dort, la conscience travaille. Mais quand on dort totalement, c'est la non-conscience. Deux heures de sommeil profond et puis le rêve apparaît. C'est très compliqué.

En zazen, le corps est en juste tonicité. Quand vous dormez, vous êtes totalement relâché, sans aucun tonus. Mais pendant zazen, on voit le rêve venir du subconscient, et on peut retourner à un état de non-conscience, certifié par la physiologie et la psychologie modernes. Cependant on ne doit pas dire : « Maintenant, je n'ai pas de conscience ! » Cet état est quelque chose d'inconscient.

Quand je dis : « Encore cinq minutes. Concentrez-vous bien ! » ces dernières minutes sont très importantes. Au début, les pensées sont nombreuses, mais après on peut atteindre cet état. Certains l'obtiennent au bout de cinq minutes par la posture, l'expiration... Impossible de s'avachir, de pencher la tête, la nuque toujours bien tendue. Ceux qui pensent ont les pouces qui tombent. Il faut se reprendre et être très vigilant.

— *Ainsi vous ne croyez pas à la réincarnation ?*

— Croire ? Ce n'est pas si important. Pas la peine de croire. Savoir si cela existe ou pas est un problème subjectif. Je ne suis pas entièrement négatif au sujet de la réincarnation mais je ne dis pas que « je dois y croire ».

Pour ce qui est de la réincarnation personne n'est revenu de la mort pour vraiment en parler. Mais cela excite l'imagination et les religions primitives avaient beaucoup d'idées là-dessus. On ne peut décider si tel ou tel chemin est le bon dans ce domaine. On peut y croire ou ne pas y croire. J'ai eu de nombreuses expériences métaphysiques et je crois dans ce monde métaphysique ; mais on ne peut le ramener à quelque chose de petit. Le cosmos est infini. On écrit sur le monde métaphysique mais on n'en touche que des aspects minuscules alors qu'il est infini. Aussi ne pouvons-nous pas en parler. Mon expérience et celles des autres sont différentes et on ne peut décider si c'est comme ci ou comme ça. Les catégories ramènent les choses à une petite dimension.

— *Si on se souvient de ses vies antérieures, cela ne suppose-t-il pas un élément permanent ?*

— Tout le monde pense à son ego. Les gens voudraient comprendre et ne le peuvent pas complètement. Ils y pensent par égoïsme. Si on n'est pas égoïste, ce sujet n'est pas tellement important : zazen l'est bien plus. Ici et maintenant s'avère bien plus efficace.

Maître Dogen a écrit profondément sur cette question : avant la naissance, après la mort... Avant la naissance : seulement la goutte de sperme du père et l'ovule de la mère... la goutte de sang... C'est aussi *ku*. Pas la peine d'y penser, de l'analyser. Seul ici et maintenant est important. Quand il faut mourir, il faut mourir et, à ce moment-là, cette vie se termine.

Plus les gens sont égoïstes, plus on est attaché à la vie, plus on pense à la mort.

— *Où est allé Bodhidharma quand il est mort ?*

— Il n'est pas ici et cela n'a pas d'importance. Ne pensez pas au lieu où vous irez après votre mort. Pensez seulement à ici et maintenant. A votre mort, vous irez dans un cercueil ; à moins d'aller mourir en mer, là pas de cercueil.

Ici-maintenant est important. Si vous vous concentrez sur tous les points, ici et maintenant, ces points deviendront une ligne et ainsi inconsciemment, naturellement, automatiquement, vous irez dans votre cercueil, dormir sous la terre. C'est comme zazen. Maintenant, je dois mourir et je me concentre sur zazen.

C'est le même rapport qu'entre le bois et la cendre. Le bois ne connaît pas et ne peut pas regarder sa cendre. Le bois peut regarder la cendre d'un autre morceau de bois, mais il ne peut pas regarder sa propre cendre. Vos yeux ne peuvent pas voir vos yeux, ou alors avec un miroir. C'est la même chose qu'entre la vie et la mort, comme le bois brûlé qui devient cendre. La cendre ne peut pas penser qu'avant elle était du bois et inversement.

Vous ne pouvez pas regarder votre mort. C'est un problème subjectif très difficile. Moi je peux regarder votre mort, mais vous pas. Une fois mort, votre mort ne peut pas regarder votre vie. C'est un problème subjectif que vous considérez maintenant comme un problème objectif. L'objectif n'est pas important. Le subjectif seul est important. C'est un problème du temps. « Ici et maintenant » inclut l'éternité. Ne faites pas de catégories. Il s'agit d'un problème plus difficile qu'un problème objectif qui peut être résolu par la science et sur lequel tout le monde se met d'accord. Le subjectif est plus profond. C'est sur soi-même que l'on se penche. Personne ne comprend, sauf vous. Sur les problèmes profonds tout le monde a un avis différent. Il est donc difficile de vous aider. Le problème subjectif de chacun est différent et on ne peut pas le résoudre par la science. Si je veux vous aider, je dois devenir vous !

— *Par zazen on coupe le karma du corps, de la parole, de l'esprit. Pas la mort aussi. La mort est-elle le satori ?*

— Oui, exactement. Ainsi le mot Nirvana signifie la mort. Le Nirvana est le parfait satori. Parfois il désigne la mort de Bouddha, l'extinction parfaite. Une fois mort, la création de notre karma s'arrête, le karma du corps, de la parole, de la pensée. Mais il y a deux doctrines ; l'une dit que tout est fini, l'autre que le karma seul continue. Pour vous cela semble contradictoire. Mais durant zazen nous pouvons faire décroître notre karma, non l'arrêter. La bouche est fermée, le karma du corps est arrêté. Mais celui de la pensée ne peut pas cesser complètement, c'est très difficile — ou alors au bout d'un moment on s'endort. C'est parce que le karma se réalise d'abord dans le subconscient et apparaît comme un rêve. Quant au karma de la conscience il est vraiment difficile de l'arrêter. En fait, il est éternel et continue après la mort. Le corps et l'esprit sont complètement en unité, donc si le corps se termine et meurt, la conscience également cesse de vivre. Mais qu'est-ce que la vie ? En fait c'est l'activité matérielle du corps qui s'arrête à la mort. Mais l'esprit n'en est pas séparé. Ce point est un point très profond. Je ne veux pas entrer dans une discussion à ce sujet. Dans le zen, on ne commente absolument pas le problème de la substance, ni la métaphysique. Et pourtant cela pose de nombreuses questions, je le sais. Par exemple, si le corps meurt, l'esprit meurt-il aussi ? Beaucoup de religions prétendent que l'âme s'envole, il est des savants qui disent la même chose, ils pensent que l'esprit plane un an, deux ans. Certains imaginent que cet esprit entre dans le corps d'un nouveau-né. D'autres disent que l'âme va en enfer ou au paradis. Çakyamuni Bouddha n'a jamais rien dit de tel. Mais l'influence du karma continue. Les éléments du corps demeurent après la mort, après l'incinération. L'eau, le sang entrent dans l'air et dans la terre. Les éléments subsistent. Seul change l'aspect matériel. Il n'y a pas du tout de changement chimique ; seulement une transformation physique, et comme le matériel et le spirituel sont une unité, il y a quelque chose qui reste et se réincarne éternellement. Nous pouvons penser ainsi. Même le corps n'est pas achevé après la mort. Donc notre vie est comme une bulle à la surface de l'eau, à la surface de l'ordre cosmique. Elle apparaît et flotte à l'horizon, soixante-dix ans, quatre-vingts ans, parfois cent ans, puis elle éclate et disparaît — mais en fait elle continue — il y a les grosses bulles et les petites bulles. Mais il ne faut pas penser à cela constamment, on se fatiguerait. Mieux vaut se concentrer sur zazen. Bien sûr c'est intéressant, et le karma est important. Comment éviter une mauvaise réincarnation? Toutes les grandes religions portent l'anxiété de cette question. Nier n'est pas bon, mais affirmer soulève un problème métaphysique difficile. Mieux vaut demeurer dans la conscience *Hishiryo*.

— *Le plus important est donc de se concentrer ici et maintenant.*

— C'est la foi, le roi du samadhi. Le karma passé prend fin. Il apparaît, réapparaît, il faut le laisser passer. Durant le zazen aussi le karma surgit comme pendant les rêves, les bons et mauvais rêves. Il faut les laisser passer. Le karma de la conscience est le problème le plus délicat, le plus grand. Ceux du corps, de l'activité, de la parole sont plus faciles à résoudre, car ils dépendent des lois, de la présence d'autrui, il est plus facile de les corriger.

La vie religieuse est réflexion. Si vous faites zazen, vous pouvez réduire votre karma inconsciemment, automatiquement, naturellement, et réfléchir.

Nous ne pouvons tout couper. Mais par exemple si au lieu de venir à cette sesshin vous vous étiez rendu au Club Méditerranée, peut-être auriez-vous créé plus de mauvais karma. Pendant zazen, au contraire, vous pouvez très exactement le faire décroître. La vraie foi, la vie religieuse, est réflexion, observation, concentration. Nous ne pouvons tout pratiquer, mais devons être *Mushotoku*. Je le répète sans cesse. Mais si vous respectez les *Kai*, les préceptes, et si vous êtes *Mushotoku*, automatiquement votre karma diminuera. Si nous l'observons nous pouvons le faire décroître. Celui de la parole : ne pas mentir. Celui du corps également. A travers zazen, notre vie quotidienne peut prolonger la réflexion qui se développe. Nous pouvons avoir une vie meilleure et peut-être ne pas commettre des erreurs aussi grosses qu'avant. Pour quelques-uns cela arrive encore, c'est l'effet de leur karma, non l'effet du zazen. Certains ont un si mauvais karma qu'ils n'arrivent pas à suivre mon enseignement. Ceux qui continuent zazen peuvent trouver leur vérité profonde.

— *Ce matin, vous avez dit que l'on pouvait faire l'expérience de la mort en zazen. Qu'est-ce que c'est ?*

— On oublie tout. On abandonne l'ego comme on abandonne son corps quand on entre dans son cercueil. Si vous mourez, plus rien.

— *Pourquoi appelle-t-on cela l'éveil ?*

— Vous devez embrasser les contradictions. Les Européens veulent faire des catégories. Je vous ai enseigné aujourd'hui : parfois conquérir, parfois abandonner. Les deux sont très importants. S'éveiller ne consiste pas seulement à ouvrir les yeux : mourir aussi est s'éveiller. Il ne faut aller ni à droite ni à gauche.

— *Comment vivre ici et maintenant quand on pense toujours à la mort ?*

— La vie et la mort sont identiques.

Si vous acceptez la mort ici et maintenant, votre vie

sera plus profonde. Il ne faut pas être attaché à la vie. Ni à la mort.

Quand on doit mourir, on meurt, et on retourne au cosmos.

Quand notre activité se termine, quand notre vie est finie, alors, il faut mourir. Il faut comprendre la mort.

— *Qui comprend ?*

— Le véritable ego seul comprend.

— *Pourquoi parlez-vous d'éternité après la mort et non avant la naissance ?*

— C'est l'homme qui veut cela. La plupart des gens ne comprennent pas. Si vous résolvez cette question ici et maintenant, votre vie sera paisible et vous serez très heureux.

L'ÉVEIL

証悟

LA CONSCIENCE

— *Quelle est la différence entre subconscient et inconscient ?*

— Dans le bouddhisme, il y a six sortes de conscience, comme Alaya, Mana... La conscience Mana correspond à peu près à l'inconscient collectif de Jung. Mais Jung ne pratiquait pas le zazen, aussi ne connaissait-il pas la conscience Hishiryo. Il ne connaissait par expérience que la conscience du frontal et un peu la conscience du cerveau primitif, aussi n'a-t-il pas pu aller très loin. Il n'a pas pratiqué de véritable méditation, et il n'a pu qu'étudier les autres objectivement. Et finalement tout cela ne devint que pensées...

Le Zen Rinzaï et l'inconscient collectif ont beaucoup de rapports. Nietzsche est devenu fou, Van Gogh aussi... Ils cherchaient trop la pureté, l'absolu, Dieu, la vraie vérité et à la fin ils sont devenus fous ! Il peut arriver la même chose avec la pratique de la concentration sur les koans dans le Rinzaï, mais là un maître vous guide et empêche les erreurs. Si vous avez un vrai maître pour vous guider, vous pouvez comprendre et vous éveiller.

Le maître dit au disciple : « Vous devez sortir d'ici !... Non non, pas par la porte ! » Alors le disciple se tourne vers la fenêtre. « Non, pas par la fenêtre !... » — « Alors par où dois-je sortir ? » — « Sortez ! (Maître Deshimaru pointe son doigt vers le ciel et rit.) Vous ne pouvez partir par cette voie, ni par celle-là, ni par le sommet, ni par la base, ni par le sud, ni par l'ouest... » Et le maître éveille le disciple à la compréhension...

Mais avec la philosophie, c'est très difficile. Les philosophes finissent parfois par devenir fous parce qu'ils n'utilisent que le cerveau frontal. Or, nous pouvons penser avec le corps, penser infiniment... Mais il ne faut pas faire de catégories !

Dans le Shodoka, il est écrit qu'il n'est pas nécessaire de rechercher la Vérité ni de couper les illusions. Je dis toujours : pendant zazen, ne courez pas après quelque chose, ne fuyez pas les illusions. Il n'est pas nécessaire de se dire : « Je ne dois pas penser », car c'est encore penser ! Vous devez être naturel, laisser le subconscient s'élever... Vous devez à un moment lâcher prise, vous laisser tomber complètement, comme au fond de l'eau, puis remonter et vous laisser flotter.

Mais les gens névrosés sont toujours anxieux. Ils sont semblables à une personne qui ne sait pas nager et qui tombe dans l'eau. Elle commence à couler, s'angoisse et se dit : « Je ne dois pas couler, je ne dois pas couler », elle avale de plus en plus d'eau... et pour finir se noie. Mais si cette personne abandonne ses pensées et se laisse aller au fond, son corps refera surface naturellement... C'est le zen.

Si vous souffrez en zazen, vous devez continuer tout droit, jusqu'à la fin. Si vous souffrez, vous abandonnez votre ego et vous obtenez le satori, inconsciemment, naturellement, automatiquement...

— *Je ne comprends pas ce que vous voulez dire par aller jusqu'au fond ?*

— Quand, dans l'eau, vous coulez et qu'à ce moment-là vous abandonnez toute idée de vie et de mort, que vous abandonnez votre ego complètement, alors votre être se concentre profondément sur l'expiration et vous refaites surface. C'est le même état d'esprit qu'en zazen.

Un moine sur un bâteau fut pris dans une tempête et dans son affolement, instinctivement, il se mit à faire zazen, acceptant de mourir et de se laisser couler jusqu'au fond de l'océan. Concentré naturellement sur sa respiration, il se laissa couler et il remonta à la surface naturellement. Et cela dura jusqu'à ce qu'il atteigne le rivage, au rythme de l'inspiration et de l'expiration.

Un autre homme, frappé par une crise d'épilepsie tomba dans une rivière en traversant un pont. Plus tard, il se réveilla couché sur la berge. Il comprit alors que la crise d'épilepsie qui avait causé sa chute l'avait en même temps sauvé, lui évitant la frayeur de la noyade...

— *Quand je me réveille, je me rappelle toujours mes rêves. Dois-je y attacher de l'importance ou non ?*

— Vous vous rappelez vos rêves parce que votre cerveau est fatigué. Tout le monde rêve. Le corps dort mais l'esprit reste éveillé et rêve. Si votre cerveau est en bonne santé, vous oubliez vos rêves au réveil. Dans le demi-sommeil aussi vous faites des rêves dont l'impression demeure au réveil. Certains veulent poursuivre leurs rêves et se lèvent fatigués. Il faut oublier, laisser passer, ne pas poursuivre le souvenir des rêves.

— *Analyser ses rêves ne change rien ?*

— Ce n'est pas nécessaire.

— *Les rêves n'ont donc pas de valeur ?*

— Ils vous rendent compliqué : les chocs et les impressions de la vie quotidienne apparaissent, le karma de votre cerveau et les chocs enregistrés par vos neurones surgissent. Zazen, de même, fait apparaître votre subconscient, vos illusions mais dans des conditions toutes différentes.

Quand on rêve, on ne sait pas qu'on rêve. Prenons l'exemple fameux dans le zen de quelqu'un rêvant qu'il se promène un soir d'hiver, dans la rue. Il aperçoit tout à coup sur le sol une bourse pleine de pièces. Il veut la saisir mais elle est prise dans la glace. Que faire ? Il urine sur la glace pour la faire fondre et se saisit de la bourse à pleines mains. Mais aïe ! ça fait mal, pourquoi ? C'est alors que l'homme s'éveille ; à la place du ciel étoilé, il voit le plafond de sa chambre, ses testicules enserrés dans ses mains lui font mal et le lit est trempé !

C'est la seule chose réelle du rêve... Quand on rêve, on ne sait plus où est la réalité. Pendant zazen, c'est facile de le savoir. On peut voir ses illusions et son karma, objectivement. Dans le rêve, tout vient pêle-mêle : les frayeurs, les chocs, le passé, les impressions. Pendant zazen, on peut contempler comme dans un miroir tout ce qui remonte du subconscient, se dire que tel ou tel désir n'est pas important... On n'a plus peur et on peut s'observer soi-même. Ce n'est pas la même chose que le rêve. Il ne faut pas s'attacher au souvenir des rêves.

Pendant zazen, il ne faut pas s'attacher aux pensées, courir après les illusions, mais il faut laisser passer. Le germe d'une pensée s'élève, puis une autre s'ensuit... laissez passer.

Après zazen on se sent le cerveau clair, reposé. Les rêves jouent le même rôle mais il n'est pas besoin d'essayer de se les rappeler. Il vaut mieux les oublier.

— *Que pensez-vous des rêves prémonitoires ?*

— Ils font partie du monde métaphysique. On ne peut nier la relation avec ce monde. Si vous avez la foi, vous pouvez communiquer avec le monde métaphysique. Si votre pensée se concentre fortement sur certains objets, cette pensée créera des germes de karma dans les neurones et par conséquent vous influencera vous et votre environnement.

— *Qu'en est-il des pouvoirs magiques ?*

— Les pouvoirs magiques ne sont pas si difficiles à obtenir. Mais dans le zen, on n'y attache pas d'importance. Certaines religions sont toujours à la recherche de pouvoirs magiques mais alors ce ne sont pas de vraies religions... Les pouvoirs magiques peuvent être utilisés en certaines occasions spéciales, je peux en utiliser. Mais le zen n'a pas pour but d'obtenir quoi que ce soit...

Si vous allez à l'extrême dans votre pratique de zazen, jour et nuit, dans une grotte dans la montagne sans manger et en ne buvant que de l'eau pendant plusieurs mois, vous obtiendrez certainement des pouvoirs magiques. Mais ils ne dureront qu'un court moment. Dès que vous aurez bu un verre de saké, ils disparaîtront complètement...

Vouloir obtenir des pouvoirs est un désir égoïste, petit, et finalement sans importance. Cela revient à vouloir devenir comme un prestidigitateur ou comme un artiste de cirque ! Mais la religion n'est pas un cirque.

— *On a souvent des pensées involontaires pendant zazen, on voudrait ne pas penser à quelque chose, mais cela revient.*

— C'est le subconscient, l'inconscient collectif. C'est comme un rêve, une illusion. Pendant zazen, on ne se sert pas du cerveau frontal, mais ce n'est pas la peine de vouloir stopper ces pensées inconscientes, car l'activité du thalamus apparaît alors automatiquement. Jung disait que si on découvrait un moyen de révéler l'inconscient, ce serait une découverte des plus importantes. Par zazen, c'est possible...

Les psychanalystes cherchent toujours dans les rêves. Pendant zazen, on peut devenir complètement intime avec soi-même, se voir et se connaître soi-même, objectivement.

— *Qu'est-ce que la conscience naturelle, la conscience du corps ?*

— C'est la bioconscience. Moi, je dis conscience du corps, les scientifiques disent bioconscience. Ceci explique que l'on peut penser avec le corps. D'habitude, on n'utilise que le côté gauche du cerveau pour penser ; mais si l'on se concentre suffisamment sur la posture et la respiration, l'ensemble du corps peut commencer à penser.

Selon le Dr Chaudard, chaque cellule a une âme, donc nous ne pensons pas uniquement avec le cerveau. Pendant zazen, la conscience du cerveau gauche se ralentit et l'âme des cellules reçoit la conscience cosmique. C'est cela que je veux dire quand je parle de conscience du corps, de bioconscience. Le cerveau droit, siège de l'intuition et de l'instinct est très affaibli de nos jours. Nous nous reconnectons avec lui en zazen.

Lorsqu'une mouche sent le danger, elle s'envole. Cette forme de sensation est la conscience du corps mais, chez la plupart des gens, elle est faible et nous ne pouvons plus comprendre le danger.

— *On parle beaucoup de travail (samu) dans le zen. Est-ce que le travail intellectuel est considéré comme tel ?*

— Si on ne travaille pas manuellement, on devient trop intellectuel. Les professeurs sont trop intelligents et ils deviennent un peu fous.

La Sagesse n'est pas seulement une affaire de cerveau frontal. La véritable Sagesse naît du thalamus et de l'hypothalamus. Quand ils sont forts, on possède une grande Sagesse. Même si on lit beaucoup d'ouvrages philosophiques, c'est le cerveau frontal uniquement qui travaille, alors que le cerveau primitif s'affaiblit. Il y a déséquilibre entre les deux et on devient fatigué, névrosé et même fou. La mémoire devient de plus en plus faible et bien que le cerveau frontal se soit développé par les livres, il est fatigué et quand on vieillit, on perd sa mémoire.

Mais par l'hypothalamus, les choses se gravent dans le cerveau. Seule, l'essence demeure dans le subconscient et, par zazen, revient. Pas les pensées sexuelles, pas les pensées agréables, mais les choses qui m'ont profondément impressionné dans mon corps, tout cela revient par zazen.

Les sutras, les conférences de mon Maître, toutes les choses importantes ont marqué, non ma mémoire, mais mon thalamus grâce au subconscient.

J'avais par contre beaucoup souffert pour emmagasiner du savoir pour les examens, mais j'ai tout oublié.

Pendant zazen, quand je parle, tous les mots pénètrent dans vos thalamus, et deviennent des graines qui pousseront dans cinq, dix ou vingt ans : cela deviendra Sagesse. Telle est la psychologie la plus haute.

— *Qu'est-ce que « mushin »* ?

— Mushin : non-pensée. Le professeur Suzuki a beaucoup écrit sur mushin. C'est « non-pensée », « inconsciemment », « mental sans pensée, non-pensée ». C'est l'essence du zen. Quand vous faites quelque chose, quand vous voulez quelque chose dans la vie courante ; si vous le faites consciemment, vous n'êtes pas mushin. Si cela passe par la pensée, ce n'est pas zen. C'est pourquoi l'entraînement à la pratique par les muscles et le corps est très important. Pour parler aussi, c'est important. La plupart des gens parlent après que le cerveau en a donné l'ordre. Mais si vous devenez mushin, hishiryo, inconsciemment, vous pouvez le faire sans pensée.

Par exemple, dans un mondo, si vous posez une question à un professeur, il doit penser avant de répondre. Mais le moine zen répond sans penser, inconsciemment. C'est pourquoi un mondo zen est important. Bien sûr, je pense à votre question, mais j'y réponds inconsciemment. Ce n'est pas possible dans l'éducation moderne et c'est pourquoi l'éducation zen s'avère si importante.

Il en est de même pour l'action. Le cerveau pense et après on agit. Ce n'est pas mushin. Mushin, c'est le corps qui pense. Si vous comprenez cela, vous pouvez comprendre le zen. La plupart des histoires zen sont sur mushin. Sagesse et connaissance intellectuelle ne sont pas la même chose. Dans la vie quotidienne, dans les conversations, la plupart des gens répondent en pensant d'abord. Les gens très intelligents utilisent la Sagesse et ne pensent pas. Ils parlent et répondent par intuition. La connaissance est une chose différente. Avec l'habitude, on ne répond pas par le cerveau. Par zazen, on peut comprendre comment parler inconsciemment. Pendant zazen, votre cerveau de surface se repose et votre cerveau interne se développe et capte l'activité. Pendant le mondo, ma réponse vient du cerveau interne; l'activité vient du cerveau intérieur. Mon cerveau interne vous répond inconsciemment par mushin. C'est pourquoi un mondo zen est différent d'un examen oral à l'université. Parler par la connaissance n'est pas la Sagesse. Par une longue pratique de zazen, vous obtiendrez cela inconsciemment. De la Sagesse, non du savoir.

Par exemple, pour les conférences, je dois préparer ce que je veux dire. D'abord du savoir... et un peu de Sagesse. Mais dès que je me trouve en face de la salle, je parle inconsciemment et je ne me tiens pas toujours à ce que j'ai préparé. Je regarde les visages et je vois s'il faut que je change la conférence. Il n'y a plus de plan, cela sort de l'inconscient, et impressionne. Cela devient « teisho ». La philosophie du bouddhisme et la philosophie du zen ne sont pas seulement faites de connaissances. Cela est vrai aussi pour les arts martiaux.

Comment dois-je faire ? Si je dois réfléchir à tout ce que je dois faire, l'action efficace devient impossible. Aussi est-il nécessaire d'être mushin, afin que le corps réagisse sans penser. C'est pourquoi, la pratique de zazen s'avère aussi utile pour les arts martiaux. Si l'on réfléchit trop, l'adversaire sera plus rapide.

— *Quelquefois, on veut agir, et inconsciemment une pensée arrive et on fait une faute !*

— Ce n'est pas vraiment inconsciemment. Vous n'êtes pas assez concentré, vous pensez à autre chose. Si vous avez l'habitude de vous concentrer, chaque chose devient mushin. Mais l'entraînement est nécessaire. Après cela vient tout seul.

Vous devez vous entraîner pour la peinture, pour un art, un travail, et après vous devenez mushin. Il n'est pas nécessaire de penser : « Je veux faire quelque chose de beau, de bien. » La plupart des grands peintres ont fait leurs œuvres inconsciemment. Cela devient l'activité du vrai art. Pour les acteurs, il en est de même. S'ils pensent, ils n'impressionnent pas. S'ils jouent inconsciemment, cela devient beau et on sent qu'ils vivent leur personnage. Si les gens pensent, il n'y a pas d'activité, de *ki* et on ne sent pas de force quand on les regarde. Si on pense, l'action n'est ni forte ni belle. Les pigeons ne pensent pas et sont très beaux. Les gens à notre époque pensent trop et n'impressionnent personne.

Les gens qui font zazen, inconsciemment, se comportent bien et leurs manières deviennent très belles, naturelles.

— Quand vous parlez de condition normale, pensez-vous qu'il s'agit de quelque chose qui appartenait à l'humanité entière et qui a été perdu ou est-ce quelque chose d'autre ?

La condition normale est très difficile à expliquer. En ce qui concerne le corps, elle est facile à comprendre. Mais pour la conscience, c'est plus difficile.

La psychologie, la philosophie, les religions ont essayé de l'expliquer : l'esprit de Dieu ou la nature de Bouddha sont la condition normale. Autant de religions, autant de conceptions différentes et chaque époque s'est penchée sur la question.

En zazen, la condition normale de la conscience est hishiryo : sans pensée.

Quand vous pensez tout le temps, vous n'êtes pas dans la condition normale. C'est votre imagination qui s'exprime, vos désirs personnels. Et voilà que vous pensez de plus en plus, vous avez peur, vous devenez anxieux. Si cela dure trop longtemps, les complications arrivent et même la folie.

Si vous arrêtez la pensée, vous revenez à la condition normale de la conscience. Mais alors vous vous endormez... Pendant le sommeil, la conscience s'arrête. Les rêves amènent le subconscient à la surface. Quand vous rêvez, vous n'êtes pas dans une phase de sommeil profond.

En zazen, on peut revenir à la condition normale. On ne dort pas mais le tonus musculaire est exact et la conscience devient semblable à celle du sommeil.

Arrêter de penser pendant zazen est difficile. C'est la philosophie du zen à propos de la conscience normale, le « hishiryo » de Maître Dogen et le « nicht danken » de Jaspers.

Fushiryo : ne pas penser. Hishiryo : penser sans

penser. Si on veut arrêter sa conscience personnelle, c'est encore penser ! On peut expérimenter « sans penser » pendant zazen. Les pensées montent quand même. Le subconscient apparaît mais pas besoin de le stopper. Être naturel est mieux.

Comment arrêter de penser par la conscience personnelle ? On se concentre sur la posture. Dans une bonne posture, les muscles possèdent le tonus juste. L'état de conscience et le tonus musculaire sont en étroite relation. Si les muscles retrouvent leur condition normale, la conscience aussi. On doit équilibrer, harmoniser les deux. Si le tonus est faible, la conscience est trop forte et les pouces tombent, vous penchez la tête et vous êtes triste, mélancolique.

Si les muscles ont un tonus correct, les pensées s'arrêtent par la conscience personnelle et le subconscient remonte à la surface.

Certains ont trop de choses enfouies dans le subconscient. Cela devient les maladies modernes du système nerveux autonome : névroses, hystérie, folie.

Pendant zazen, cela sort. Et après zazen, tout le monde a un bon visage. Certainement, si vous voyez d'autres personnes, vous les trouverez différentes et si vous continuez pendant longtemps, vous les trouverez un peu « sales » parce que, par zazen, vous devenez pur et revenez à la condition normale.

— *Qu'apporte le zen à l'esprit ?*

— Rien ! Il ne faut pas avoir d'objet, ni désirer quoi que ce soit. Pratiquez sans but, les effets viennent après, automatiquement.

Il est écrit dans le Shodoka :

« On ne doit pas rechercher la vérité ni couper avec ses illusions. »

Si durant le zazen, les illusions se manifestent, on ne doit ni les couper ni les entretenir. Il est très important de n'avoir aucun but dans l'esprit, de ne pas se servir de zazen ; zazen n'est pas un moyen. Si nous avons un but, un objet, notre vie, pour longtemps, sera troublée. Il faut suivre la voie de façon naturelle ; si l'on n'a pas de but, notre vie ne s'éteindra pas.

Depuis douze ans que je suis en Europe, j'ai vu de nombreux élèves venus pratiquer zazen avec un but et qui n'ont pas persévéré. Ils sont parfois très honnêtes dans leur recherche mais ils finissent par se lasser et abandonnent.

Il ne faut se servir ni du Bouddha ni du zen pour l'obtention de quoi que ce soit.

Mon Maître insistait toujours sur l'idée de « mushotoku », sans profit.

C'est l'essence du zen et du bouddhisme : obtenir sans chercher à obtenir.

Nous le répétons chaque jour en récitant l'Hannya Shingyo. La plus haute et la plus authentique philosophie, c'est cela.

De même si, lorsque vous peignez, vous avez pour but de réussir un chef-d'œuvre, votre œuvre ne sera que médiocre. Si au contraire vous êtes vraiment concentré et sans but, vous pourrez créer une belle œuvre.

La plus haute dimension de la vie spirituelle est mushotoku, sans but, sans profit.

L'IMPERMANENCE, ICI ET MAINTENANT

— *Pouvez-vous expliquer ici et maintenant ?*

— C'est la conscience du temps et de l'espace. Ce qui se passe ici et maintenant est important. Ne pas penser au passé ni au futur. Vous devez vous concentrer sur ici et maintenant. Quand vous faites pipi, faites uniquement pipi ; quand vous dormez, dormez ; pour manger, zazen, marcher, faire l'amour, c'est pareil. Seulement se concentrer sur l'acte présent.

— *Quelle est la dimension temporelle de maintenant, est-ce une heure, une minute ?*

— Le moment. Le moment de maintenant est déjà passé, il n'existe pas réellement.

Je dis « maintenant est le point important ». Faire zazen maintenant, pas ce soir, ni plus tard. Il en est de même pendant zazen : la respiration maintenant, la concentration maintenant. Mais le moment de maintenant n'existe pas. Si vous y songez, il est déjà au passé. Le véritable maintenant n'existe pas, donc le plus important est la concentration sur le point, et c'est la jonction de ce point aux autres points qui constitue la durée de la concentration ici et maintenant, comme un alignement de points en géométrie forme une ligne.

— *Dans le Shobogenzo, il y a un passage sur Uji. Pouvez-vous nous parler de cela ?*

— Uji est la philosophie du temps. U = Existence, Ji = Temps.

Dogen a écrit des choses très profondes sur Uji : Toutes les existences sont le temps et le temps est l'ensemble de toutes les existences. Le temps ne peut pas revenir. Ici, nous pouvons revenir, mais maintenant ne pourra jamais revenir. C'est passé.

Si tous ces points de notre vie forment une ligne brisée, notre vie est compliquée et basée sur l'erreur. Mais si nous nous concentrons sur *maintenant*, cette ligne se trace toute droite, harmonieuse et belle.

L'homme se penche constamment sur la ligne du passé ou sur la ligne du futur. Il est rarement concentré sur le point *maintenant*.

Même pendant zazen, certains pensent ainsi : « L'année dernière, j'ai fait cela, demain je ferai ceci... » Ils ne sont pas concentrés sur leur posture qui s'avachit.

Maintenant, il faut être concentré. C'est valable pour toute votre existence. C'est très simple et très profond.

— *Le monde existe mais il n'est pas réel, qu'en pensez-vous ?*

— Je parle toujours de ku. Ku est existence sans noumène. Cela existe mais n'existe pas. Il n'y a pas de substance.

J'existe, mais qu'est-ce que cela signifie ? Moi, est-ce cela, ma tête, mes pieds, ma peau ?... Non. Mes cellules, mon corps, ma peau changent sans cesse. Tous les sept ans toutes les cellules du corps se trouvent entièrement renouvelée. Où est moi ? Pour le monde il en est de même, il n'a pas de noumène, il est ku.

— *Mais qu'est-ce qui est réel ?*

— Ce monde existe. Exister ou ne pas exister reste un problème métaphysique. La réalité est un problème physique. Et il est difficile de comparer les deux choses. Les religions se trompent parfois sur ce point et créent des confusions. Dans le zen authentique il n'existe aucun commentaire sur les problèmes métaphysiques. Dans le bouddhisme non plus, ni dans les sutras de Bouddha, ni dans la philosophie de Nagarjuna. Il n'est pas possible de trancher cette question : avant la naissance, après la mort... Elle ne peut être résolue ni par des concepts, ni par la science. C'est absurde de vouloir concevoir la vie après la mort. Cela préoccupe surtout les gens égoïstes qui souhaitent être immortels. Ils sont sujets de l'imagination et de religions égoïstes : si vous faites de grands dons, vous irez sûrement au paradis...

Ce problème ne peut être résolu ni par la métaphysique ni par la pensée et seule l'imagination fournit les réponses. Dogen en parle dans le Genjo-Koan. Le monde existe ou il n'existe pas, comme vous voulez. Si vous tournez le bouton de votre téléviseur, une réalité apparaît sur l'écran. Fermez le bouton et elle n'existe plus. C'est la même chose que la mort.

Quand nous mourons, le monde continue d'exister.

Mais à ce moment notre cosmos disparaît. Toutefois notre karma continue... Notre sang devient terre et nuage... Ainsi nous ne finissons jamais. Notre corps ne finit jamais et notre esprit ne finit jamais. Corps et esprit sont un...

Mais les problèmes métaphysiques ne peuvent recevoir aucune confirmation. La religion authentique n'aborde pas ces problèmes et n'en fait aucun commentaire. Seuls les gens égoïstes pensent à la vie éternelle.

— *Pourquoi y a-t-il des phénomènes dans le cosmos ?*

— Les phénomènes existent : rivières, montagnes, étoiles sont des phénomènes du cosmos car à l'origine le cosmos était chaos. Les phénomènes sont apparus et se transforment continuellement. C'est le pouvoir cosmique fondamental. Ku devient phénomènes.

— *Dans le Shin Jin Mei, on parle de l'impermanence. Bouddha, la voie, l'ordre cosmique sont-ils aussi impermanents ?*

— Oui, tout est impermanent, même l'ordre cosmique. Tout change. Si vous le comprenez vous avez le satori.

Les Européens veulent toujours faire des catégories avec leur conscience personnelle et n'acceptent pas les contradictions.

Tout est permanent, si vous regardez seulement le côté permanent. Tout est impermanent, si vous regardez seulement le côté impermanent. Les deux aspects sont vrais. Vous devez toujours comprendre les deux côtés et ne pas choisir seulement un côté.

Le corps est impermanent : on naît, on meurt, comme une bulle qui apparaît et disparaît à la surface du courant. Mais l'essence, le courant, ne change jamais.

Le père et la mère se rencontrent. L'enfant naît et devient énergie. Il grandit, peut se marier, posséder une maison, une voiture, etc. et, à la fin, il meurt. Il va dans son cercueil. Les éléments qui constituaient son corps retournent à la terre — même si on le brûle —, et deviennent énergie. Il n'y a pas du tout de changement réel, seulement un changement apparent au niveau de la forme. Il y a permanence.

Les deux états sont importants. Ce n'est pas une question de sens, mais une question de sagesse.

Bonne question. Vous allez pouvoir développer votre intelligence et créer la véritable sagesse.

Surtout ne faites pas de catégories avec votre conscience personnelle, car dans ce cas, vous vous tromperez toujours à moitié.

— *Qu'est-ce qui n'est pas illusion, phénomène ?*

— Ku et shiki sont la même chose. Les phénomènes eux-mêmes sont la vérité.

Pendant zazen, vous ne devez pas abandonner la pensée, mais vous ne devez pas l'entretenir. Si vous vous concentrez sur la posture, il n'est pas nécessaire de chercher à avoir la conscience du satori, de l'illumination.

Pendant zazen, certainement beaucoup d'illusions reviennent. Quelles sont ces illusions ? Qu'est-ce qui est bon ? Qu'est-ce qui est mauvais ? La norme est difficile à établir. « Il faut que je sois beau, que je sois bien, je ne dois pas penser à de mauvaises choses... au sexe. » Tout est phénomène. Aussi, si vous vous concentrez sur votre posture, celle-ci devient comme un miroir. Les illusions, les pensées passent devant le miroir. Le miroir reflète beaucoup de choses, mais le miroir, lui, ne change pas. Les illusions en elles-mêmes sont vérité. C'est ce qui est écrit dans l'Hannya Shingyo : ku devient les phénomènes, les phénomènes deviennent ku. Il n'y a pas de séparation.

— *Je peux comprendre, mais c'est quand même une notion relative et relative à quoi ?*

— Shiki, c'est l'illusion. Mais l'illusion en elle-même et vérité. Elle inclut tout. Durant zazen, ce n'est pas nécessaire de couper les illusions. Mêmes les mauvaises choses doivent passer. Il est inutile de séparer illusion et satori. L'illusion elle-même est satori.

Vous ne devez pas différencier le bien du mal. Les démons parfois deviennent Dieu et Dieu devient démon. Notre visage est comme cela ! L'être humain parfois est Dieu ou Bouddha, et parfois il est démon. Il n'est pas seulement, et tout le temps, Dieu ou Bouddha !

Pendant zazen, on ne pense pas, mais les illusions reviennent. Et avec l'habitude, quand on ne souffre plus, on pense encore davantage. Les débutants eux pensent moins : ils sont concentrés sur la posture, ils ont mal aux genoux, mal aux reins. Mais avec l'habitude, la pensée revient automatiquement. Mais il ne faut pas entretenir cette pensée. Il faut se concentrer et ainsi on revient au miroir.

— *N'y a-t-il pas possibilité d'arriver à ku, au vide, par les pensées ?*

— Mais ku n'est pas la conscience du vide. Ku est l'existence sans noumène. J'existe, la table existe, la carotte existe dans la cuisine, mais elle n'a pas de noumène. Moi aussi, j'existe mais je n'ai pas de noumène.

Qu'est-ce le noumène en dernier lieu ? C'est la source de la vie.

Qu'est-ce que la source de la vie ? Il y a deux doctrines aujourd'hui : le mécanisme, le vitalisme. Personne n'a tranché le problème. Moi je penche pour l'activité, l'énergie. C'est l'essence de nous-même, notre propre originalité qui est différente pour chacun comme le sont les visages, les caractères, la couleur des cheveux.

Qu'est-ce que moi ? En dernier ressort, on n'a pas de noumène. C'est ku, le vide. Ce n'est pas moi. Rien n'est moi. Nos caractéristiques sont l'influence de notre karma, de notre hérédité, de notre sang. Nous ne sommes que des agrégats de karma en raison de nos ancêtres, de notre environnement. Nous changeons constamment. Les cellules, le corps changent continuellement. En dernier lieu, nous n'avons pas de noumène. Cela surprend certaines personnes, cependant telle est la vraie signification de ku.

Si on comprend cela, on comprend l'ego. L'ego existe, mais il n'est que karma et interdépendance.

L'essence de la table, c'est le bois. L'essence du bois, c'est l'arbre. Par exemple, la fleur est très belle. Quelle est son essence ? Même si on la dissèque, on ne peut pas la trouver, pas plus qu'on ne peut trouver de noumène dans notre corps. A la fin, on dit : « C'est peut-être l'activité et puis on découvre que notre activité se lie, notre interdépendance avec le cosmos ; alors on peut trouver que Dieu ou Bouddha est notre essence. »

Bouddha a dit : « Notre essence, c'est ku. » Christ a dit : « Notre essence est Dieu. » C'est l'activité du cosmos, l'activité de tous les systèmes cosmiques. Nous trouvons la même mécanique partout : les étoiles, notre corps, nos cellules — le macrocosme, le microcosme — possèdent la même construction. Il faut réaliser ce système cosmique : si on le suit, nous sommes libres ; si on va contre lui, notre vie devient difficile.

Quand on regarde dans un microscope, tout est constitué de la même façon : atomes, neutrons, à la fin, plus rien. Pas de forme, pas de noumène, microcosme, macrocosme, tout est pareil, ku. C'est le satori.

— *Qu'est-ce que mu ?*

— C'est zazen. Mu veut dire « rien », mais ce n'est pas une notion négative. Mu n'est pas relatif au fait d'exister : c'est « rien ». Cela reste très difficile à expliquer.

Qu'est-ce que mu ? Rien et tout. C'est un grand koan ; certains y pensent trois ans, cinq ans. Les grands maîtres dans le zen Rinzaï y réfléchissent tous les matins et les disciples y pensent pendant zazen et cela dure des années. Mu n'existe pas. Mu existe, mais sans noumène. Un grand koan. Si vous continuez zazen, vous pourrez le comprendre.

SATORI

— *Pouvez-vous parler du satori ?*

— Vous ne pouvez pas le comprendre avec votre cerveau. Par contre, si vous faites zazen, vous pourrez avoir le satori inconsciemment. La posture de zazen elle-même est le satori.

Le satori est le retour aux conditions normales, originelles. C'est la conscience du bébé. Le Christ a dit la même chose : il faut revenir à la vraie condition originelle, sans karma, sans complications. Contrairement à ce que pensent certains, il ne s'agit pas d'une condition spéciale, particulière, mais du retour aux conditions originelles.

Par la pratique de zazen, on devient paisible. Par le corps, on peut trouver la conscience du satori. Aussi, la posture est très importante. Vous ne pouvez pas trouver le satori la tête dans les mains comme le *Penseur* de Rodin. C'est pourquoi les Asiatiques respectent la posture du Bouddha. C'est la plus haute position du corps. Ni le chimpanzé ni le bébé ne peuvent trouver le satori.

Le bébé est dans son état originel mais après, le karma nous noircit et il nous faut retrouver cet état. Le chimpanzé n'en a pas besoin, lui aussi est dans son état originel. Seul l'homme qui l'a perdu devient compliqué et doit le reconquérir. Cet état originel est l'esprit de Dieu, ou la nature de Bouddha.

— *Le satori est-il très difficile à obtenir ?*

— Non, c'est l'état normal. Le zazen vous aide. Vous recommencez la pratique sans cesse et cela devient facile.

— *Vous dites que le satori est inconscient et qu'on ne peut pas s'en rendre compte. Mais peut-on se rendre compte qu'on n'a pas le satori ?*

— Si vous dites : « J'ai le satori », vous êtes fou. Personne ne le sait. Moi, je n'en sais rien non plus. Jusqu'à la mort, on ne peut pas le savoir. Si vous pensez : « J'ai eu le satori », vous limitez le satori par votre pensée consciente. Quand vous dites : « Ça y est, j'ai le satori, maintenant », vous devenez limité, vous faites une catégorie, et alors ce n'est pas le vrai satori, mais un satori étroit.

Le satori est illimité. C'est la conscience cosmique et on ne peut pas savoir ce que c'est ! La sagesse totale est vrai satori.

Est-il possible de comprendre qu'on n'a pas le satori ? Il n'est pas nécessaire de penser à propos du satori.

— *Bouddha a parlé de différents états de méditation correspondant à différentes expériences. Y a-t-il quelque chose de semblable dans le zen ?*

— Dans le zen, il n'y a pas de degré, pas de marche. Si vous faites zazen ici et maintenant, vous avez le vrai satori. Ici et maintenant pas de degré, c'est très important.

Quand vous avez trente ans, ce n'est pas la peine d'être comme quelqu'un de quatre-vingts ans. A trente ans, il faut avoir trente ans, et ne pas être comme un vieillard.

Les pensées diffèrent selon les âges et le satori aussi est différent. La compréhension d'un homme de trente ans n'est pas celle d'un homme de quatre-vingts ans. Pas de grade, ici et maintenant, pas de degré.

Ce n'est pas la peine de se dire : « Il faut que je devienne Bouddha, que j'aie le satori. » Si vous avez vingt ou trente ans, vous devez comprendre le satori d'une personne jeune. Mais le satori, qu'est-ce que c'est ? Tout simplement la vérité, comprendre le système cosmique, la vérité cosmique. Et c'est seulement quand on a tout abandonné que l'on peut s'harmoniser avec le système cosmique.

— *Quels sont les degrés du satori ? Vous avez dit que Bouddha avait eu un grand satori.*

— Il n'y a pas besoin de degrés. Inutile de vous demander pendant zazen : « A quel degré de satori en suis-je ? » On ne peut pas les comparer, ni dire lequel est plus profond, plus infini.

Par exemple, en ce qui concerne les petites choses de la vie quotidienne, zazen peut vous faire voir vos petites erreurs. Quand vous comprenez et que vous appliquez ce que vous avez compris, c'est le satori. C'est petit et en même temps grand.

Comprendre objectivement n'est pas la même chose que comprendre subjectivement. Une chose petite d'un point de vue objectif peut devenir subjectivement la source d'un grand satori. Maître Kyogen eut le satori en balayant son jardin, lorsqu'une tuile heurta un bambou. L'aspect objectif n'est pas important. Il y a des millions de phénomènes semblables, mais il eut un satori.

Gensha, alors qu'il voyageait à pied, se heurta le gros orteil sur une pierre. « D'où vient la douleur ? » se demanda-t-il et il obtint le satori. Beaucoup se blessent à l'orteil et n'ont pas pour autant le satori.

On ne peut pas faire de degrés, ni objectifs ni subjectifs. Le zen est la voie directe qui vous mène au sommet, comme le téléphérique.

— *Qu'est-ce que Ken Sho ?*

— Regarder sa propre nature, regarder son satori. C'est un mot technique du zen Rinzaï. C'est le maître qui certifie le satori. Le Ken Sho est identique au « connais-toi toi-même » de Socrate. Nous n'avons pas de noumène. Si vous comprenez cela, c'est le satori. Vous revenez à l'ordre cosmique.

C'est le satori de Çakyamuni Bouddha sous l'arbre de la Bodhi. Il comprit qu'il n'avait pas de noumène, qu'il était relié à l'ordre cosmique, à la puissance cosmique et à ce moment-là il obtint le satori. Quand il s'est relevé, il avait tout résolu. En quarante-neuf jours, tout son karma s'est libéré. Chaque jour, une jeune fille lui apportait du lait, le massait. Et à la fin il comprit qu'il n'y avait pas de noumène. Rien. Le noumène est puissance cosmique fondamentale. Le satori du Bouddha fait cela.

Pendant zazen, c'est identique et, si vous y croyez, il n'y a pas besoin de Ken Sho. Pendant zazen, vous vous reliez à l'ordre cosmique.

— *Avez-vous le satori, Maître Deshimaru ?*

— Je ne sais pas !

Il ne faut ni rechercher, ni vouloir le satori. Dogen insiste particulièrement sur ce point dans le Soto Zen : le satori existe déjà en nous bien avant notre naissance. Ku est satori, tous deux n'ont pas de noumène et signifient existence sans noumène. Puisque nous avons le satori, pourquoi chercher à l'obtenir ?

Mais si notre vie est remplie de passions, de désirs, si elle est compliquée, il faut alors pratiquer zazen pour retrouver ses conditions normales. Zazen en lui-même est satori. Le retour aux conditions normales se fait par une bonne posture, une respiration correcte, le silence.

Ici et maintenant est le plus important.

Arrêter de pratiquer zazen, c'est arrêter le satori. Le satori ne peut être une expérience passée, il est ici et maintenant.

Jusqu'à la mort, il ne peut y avoir de satori total, celui-ci est dans notre cercueil.

Si je réponds à la question : « Oui j'ai le satori », ce n'est pas le vrai satori.

Si vous demandez à quelqu'un « Êtes-vous bon ? » et qu'il vous réponde « Oui », il y a de fortes chances pour que la personne en question ne soit pas aussi bonne qu'elle le prétend, sinon sa réponse aurait été plus modeste : « Pas tellement », ou « Je n'en sais rien... »

Demandez à un malade mental s'il est fou, il vous répondra certainement qu'il ne l'est pas, et qu'au contraire il est tout à fait normal...

Il en est de même pour le satori.

La plupart des gens vivent comme de véritables fous

du satori. Ils vivent dans les passions, les désirs, les illusions.

En pratiquant zazen on revient aux conditions normales, on s'approche de Dieu ou de Bouddha.

Répondre que l'on a le satori signifie en réalité qu'on est dans des conditions anormales, comme le fou, comme la majorité des hommes pour qui les conditions normales sont l'argent, la bonne chère, les honneurs, le sexe, les vêtements, les voitures, etc.

Pourtant, tout cela n'est qu'illusion vaine de l'existence, et qui apparaît comme telle au moment de la mort. Le corps lui-même est une illusion lorsqu'on le met dans son cercueil.

Si l'on comprend tout cela, notre vie acquiert une nouvelle force, et il n'est plus nécessaire de craindre quoi que ce soit.

Notre vie devient paisible, c'est la vraie liberté intérieure. C'est cela le sens du satori.

LE ZEN ET L'OCCIDENT

禪と
文明

LA CIVILISATION MODERNE

— *Pourquoi êtes-vous venu en Europe ?*

— Parce que je voulais venir ! J'en suis très content ! J'aime beaucoup la France, l'Europe, alors je suis venu. C'est une réponse très simple.

Je suis venu enseigner le vrai zen aux Européens, car il est mal compris. Les personnes intelligentes n'en ont qu'une approche livresque. Mon Maître m'a dit : « Il vaut mieux aller en Europe. Bodhidharma a apporté le zen d'Inde en Chine, Dogen l'a apporté de Chine au Japon et, du Japon, il doit venir en Europe. C'est très important. » Si la terre s'épuise, la graine ne pousse plus. Mais si l'on change la terre, le bon grain peut alors se développer. L'Europe est très fraîche dans ce domaine et j'espère que la graine du zen va y pousser. Maintenant, les Japonais veulent imiter le zen européen. Cela a donc un double effet !

— *Les cultures indienne, chinoise, japonaise ont tour à tour influencé le zen. Y a-t-il dans notre culture des éléments qui peuvent l'influencer, ou, en d'autres termes, le zen recevra-t-il des apports de notre Occident ?*

— Bodhidharma donna le zen à la Chine, venant de l'Inde. La Chine en fut influencée. C'était à ce moment-là un pays hautement développé. La civilisation chinoise accepta le zen (Ch'an) et sa philosophie en reçut une forte empreinte. Et le zen, de son côté, devint très vigoureux en s'imprégnant du naturalisme et du pragmatisme chinois.

Ensuite Maître Dogen apporta le zen au Japon. Le zen exerça une profonde influence sur l'esprit des samouraïs et la culture en général. Il a marqué jusqu'à aujourd'hui la civilisation japonaise.

Il y a plus de dix ans que j'ai apporté le zen en Europe. Actuellement la civilisation devient faible et chaque fois que la civilisation s'affaiblit, le zen lui redonne de la puissance vitale. En Chine aussi, la culture intellectuelle s'était trop développée, le zen l'a vivifiée. Au Japon, au temps de Dogen, le bouddhisme traditionnel était arrivé à un ésotérisme complet. Les gens deviennent faibles parce qu'ils se servent trop de l'imagination et de l'intellect. Aussi Dogen apporta-t-il l'équilibre avec le zen. Il ne faut pas seulement de la spiritualité et de l'imagination, mais la pratique.

Pratiquer zazen est facile, mais aussi difficile. La posture est simple, mais comporte des difficultés et implique la plus haute maîtrise.

Aujourd'hui en Europe, la civilisation est décadente ; pas seulement en Europe mais dans tout l'occident scientifique. Cependant si vous pratiquez zazen, certainement la civilisation occidentale redeviendra forte. Je le crois.

Il en sera de même que pour la civilisation chinoise à l'époque de Bodhidharma.

Les Occidentaux ont un bon cerveau. Si vous pratiquez zazen, vous deviendrez plus actifs et équilibrés. Et la civilisation européenne continuera d'être puissante dans les siècles à venir.

— *Mais faire zazen n'est-ce pas s'évader de l'économie, du social, du monde ?*

— Non ! Je ne le pense pas. Le petit enfant est attiré par la nourriture, par le sein de sa mère. L'adolescent est très sensible à la sexualité. L'argent et les possessions matérielles attirent les adultes. Enfin viennent les honneurs.

Cependant, si l'être humain découvre que tout cela ne suffit pas à lui apporter le bonheur qu'il souhaite, il se tourne aussi vers la spiritualité, ce n'est pas là une évasion mais au contraire une preuve de réalisme, d'évolution. Seul l'humain a accès au domaine spirituel.

— *Si chaque homme était moine zen comment irait le monde ?*

— Il n'est pas nécessaire de devenir moine ! Je n'ai jamais nié l'importance du travail et de la vie quotidienne.

Chacun doit pouvoir gagner sa nourriture. « Ici et maintenant » est important !

Dans ce dojo, on ne pratique pas zazen vingt-quatre heures sur vingt-quatre ; moi-même je ne fais pas toujours zazen. Par la pratique, zazen devient le soutien de votre vie quotidienne, par zazen toute votre vie devient zen.

Il n'est pas nécessaire par conséquent de devenir moine

mais si vous voulez l'être, c'est au-delà de la vie humaine la vie spirituelle la plus haute.

Qu'est-ce que la vie spirituelle ? C'est se connaître soi-même. Tous les grands hommes l'ont dit, tous ont compris cela : « Je suis le Rien absolu. »

En réalisant que l'on n'a pas d'ego, que ce dernier n'est qu'interdépendance, que nous ne sommes que le résultat des influences de notre milieu, que, dans tout cela, il n'y a pas de place pour le moi, que notre vie est sans noumène, nous sommes alors ouverts aux dimensions du cosmos, nous recevons son énergie et nous pouvons créer.

Ouvrez les mains, et vous recevrez tout, même les biens matériels.

N'ayez pas peur, c'est cela le satori.

— Quelle est la situation du monde par rapport à l'évolution humaine ?

— Il y a des choses qui ne se développent pas et qui, au contraire, involuent. C'est là un grand problème de civilisation. Certains pensent que la civilisation développe le progrès, d'autres pensent au contraire qu'elle va à son encontre. Qui a tort, qui a raison ? L'homme évolue-t-il ou involue-t-il ?

Si le cerveau central et l'hypothalamus deviennent faibles, ce n'est pas une évolution. Le cerveau interne devient faible, le cerveau externe devient fort. Mais l'harmonie, l'équilibre entre les deux est indispensable. Lorsque le cerveau interne et l'hypothalamus deviennent forts, alors existe la véritable évolution ! C'est pourquoi zazen est important. Je parle toujours d'équilibre. S'il n'y a pas équilibre entre le cerveau interne, primitif et le cerveau externe, intellectuel, il y a faiblesse. Comment faire pour les harmoniser ? Se pose alors le problème de l'éducation de l'homme. Il faut la changer. Ici, vous recevez une bonne, une vraie éducation...

— *Pourquoi sommes-nous imparfaits ? Étions-nous parfaits avant et devons-nous le redevenir ?*

— C'est tout le problème de la civilisation. Laquelle, de l'ancienne civilisation ou de la civilisation moderne vaut-elle mieux ? C'est un faux problème car on ne peut pas savoir.

A l'origine, le cerveau interne était très développé et avec la civilisation l'enveloppe s'est développée. Plus l'extérieur croît, plus l'intérieur s'atrophie. Il y a déséquilibre entre les deux, déséquilibre des nerfs, maladies mentales et névroses, folie, comme pour Nietzsche et pour beaucoup de philosophes. L'éducation moderne s'adresse seulement au cerveau externe. Comment faire pour renforcer le cerveau interne ?

J'ai vu les grottes de Lascaux et du Tassili. Il y a des millénaires, dans ces grottes, des hommes ont fait des dessins. Ces peintures sont belles et délicates et je les préfère à celles de Picasso. L'évolution de l'homme est un grand problème. L'intelligence s'est beaucoup développée depuis le Moyen Age, mais où est la sagesse ? Qu'est-ce que l'évolution à l'époque actuelle ? Les muscles deviennent faibles, le cerveau aussi. Tout le monde n'évolue pas bien que l'intelligence progresse ainsi que les connaissances.

L'Occident doit devenir fort. Il n'a pas la même religion que l'Asie et l'Afrique mais j'espère qu'ils fusionneront. Les Africains sont combatifs. C'est la caractéristique du désert. La religion y est forte. Les musulmans se battent et s'organisent. Les Asiatiques sont plus calmes. Cela vient de l'influence des moussons qui dévastent tout, aussi la patience est-elle nécessaire. Le Bouddha ne voulait plus combattre. Il voulait la paix. Ainsi le bouddhisme s'est-il développé et a influencé toute l'Asie.

Comment trouver la vraie paix pour l'humanité entière ? Les problèmes politiques influencent notre milieu. Nous devons accepter les ondes bénéfiques et refuser les ondes maléfiques. C'est pour cela que l'effort est important, un nouvel effort. Un nouveau style d'effort. Les Européens ne font pas assez d'efforts. Ils sont vite fatigués. C'est pourquoi pratiquer zazen est important. Si vous faites zazen, vous pouvez faire des efforts. Je pense que, même en Afrique, peu de jeunes sont capables de supporter un effort important. Ils sont forts, mais pas très motivés. Comment pouvoir faire des efforts ? Quelle est la relation entre l'activité et l'agressivité ? Si votre activité est forte, vous avez envie de la dépenser et si vous vous en servez pour le mal, cela devient de l'agressivité et ce n'est pas bien. Si quelqu'un devient agressif, vous devez lui opposer la sagesse. Je n'ai jamais dit qu'il fallait devenir agressif. Il faut pratiquer la sagesse et créer la véritable activité. Il faut créer l'équilibre ; bonne sagesse mais pas d'activité pour la mettre en œuvre mène à l'abêtissement. Il est très important de ne pas se conduire comme un animal, mais également de ne pas être seulement spirituel comme un fantôme. Seul l'équilibre importe et va dans la sens de l'évolution.

— *Nous vivons une époque de complète décadence. Pensez-vous que par la suite la civilisation pourra se ressaisir ?*

— Oui, je pense qu'elle se rétablira et que l'homme, en fin de compte, s'améliorera ; ce qui est mauvais se transformera. Tout est très difficile maintenant dans le monde entier, mais après, certainement cela changera. Une autre civilisation naîtra.

LA VIE QUOTIDIENNE

— *Que doit-on faire dans la vie quotidienne ?*

— Travailler, faire pipi, manger, ce que vous voulez ! Si l'on fait zazen régulièrement on en prend l'habitude et pour moi, par exemple, dans la vie courante, mon cerveau fonctionne de même que pendant zazen.

Le zazen du matin influence la vie quotidienne et vous vous habituez à toujours réagir avec cet esprit. Quand les gens quittent le dojo après le zazen du matin, ils sont calmes et leur vie en est influencée : le cerveau est clair, tranquille, pas fatigué. C'est très efficace. Pour cela, les gens aiment pratiquer.

Ce n'est pas bon d'avoir toujours la tête penchée. Aussi pensez toujours à tendre la nuque et à rentrer le menton. Les gens modernes ont trop la tête penchée. La nuque doit être bien tendue pour que le cerveau soit irrigué par le sang et qu'il devienne clair.

— *Dans la vie actuelle, comment concilier la notion de non-profit et zazen ?*

— Pendant zazen, si vous n'avez pas de but, si vous n'espérez aucun profit, vous êtes mushotoku. Si vous recevez un profit sans l'avoir désiré, c'est bien. Vous n'avez pas à le refuser. Mais vous ne devez pas le rechercher. Pendant zazen, vous ne devez pas vouloir attraper quelque chose : avoir l'illumination, le satori, acquérir une bonne santé, devenir calme, couper vos anxiétés, progresser dans le zen... Pas nécessaire de penser comme cela. Suivez seulement mon enseignement : concentrez-vous sur la posture, sur la respiration. Cela suffit.

Avoir un but, pas seulement dans le zazen, mais dans la vie, vouloir obtenir, saisir quelque chose, est une maladie de l'esprit.

— *Oui, mais on est parfois anxieux parce qu'on n'a aucun but dans la vie.*

— Vous n'avez pas besoin d'avoir un but si, ici et maintenant, vous vous concentrez sur ce que vous faites : sur le travail quand vous travaillez, sur la nourriture quand vous mangez, sur les toilettes, quand vous êtes aux toilettes... Quand vous parlez, parlez seulement et dites uniquement ce qui est important pour la situation.

Ici et maintenant, si vous êtes concentré, cette concentration vous suivra jusqu'à la mort et vous illuminera sans cesse, mais ce n'est pas spécialement un but.

Par contre, il faut avoir un idéal ; c'est nécessaire. Mais idéal et but sont deux choses tout à fait différentes. Le plus grand idéal, c'est celui de l'amour universel et non celui de l'amour égoïste. Cet amour universel n'est pas un but, mais un idéal.

L'espoir aussi est nécessaire. Qu'est-ce qu'un espoir ? Devenir un habile politicien ? Pas tellement. Un grand artiste ? Peut-être. Mais qu'est-ce qu'un grand idéal ?

C'est l'action sans l'idée de profit... Mushotoku. C'est le plus grand idéal.

Inutile de vouloir absolument devenir riche, d'acquérir des honneurs. Seulement se concentrer ici et maintenant. Cela est le zen.

— *Si on pratique mushotoku, peut-on faire des plans et avoir des souhaits ?*

— La vie quotidienne et zazen ne sont pas pareils. Dans la vie quotidienne, il faut obtenir du profit : l'homme d'affaires doit se concentrer pour faire du profit.

Je parle de l'esprit intérieur, du problème subjectif. Quand on est mushotoku, même si on perd, on est toujours libre.

Dans la vie quotidienne, il faut de la sagesse. Vous devez utiliser votre sagesse. Il est nécessaire d'être mushotoku envers tout le monde. Mais pour la plupart des gens, à l'inverse, l'esprit n'est jamais mushotoku : « Je vais lui donner ceci, peut-être me donnera-t-il cela en retour ! » C'est un problème de l'esprit.

— *Vous avez dit que le véritable esprit consiste à ne pas choisir mais dans la vie quotidienne des choix s'imposent tout le temps. Comment concilier ces deux choses ?*

— C'est la même chose que de mêler les problèmes métaphysiques et physiques.

Dans la recherche de la Voie, ne pas choisir ; dans la vie quotidienne, choisir.

Il n'y a pas de choix pour chercher la Voie, pour saisir

la vérité. Dans la vie quotidienne, c'est l'esprit du choix qui est important. Être trop attaché à ses choix, les rendre étroits, est mauvais. Il faut choisir tout en restant libre du choix.

Je ne choisis pas mes disciples, certains restent, certains partent. Mon esprit reste paisible, il ne choisit pas.

Le karma crée vos décisions mais l'ordre cosmique n'est pas si précis ! Parfois un malheur engendre un bonheur, parfois un bonheur conduit au malheur. L'esprit reste le même, calme et paisible. C'est le satori.

Dans la vie pratique, la sagesse est nécessaire. L'objet trop désiré ne peut être atteint car l'esprit est trop attaché au désir et l'homme en souffre ou devient fou. Tout vient à celui dont l'esprit est paisible et rempli de sagesse.

La sagesse, c'est apprendre à ne pas souffrir d'un échec, c'est faire décroître les désirs. Le retour à la condition normale.

— *Comment faire pour vivre le zazen dans la vie quotidienne ?*

— Vous devez vous concentrer sur les actes de la vie quotidienne : quand vous êtes dans le lit avec votre femme, concentrez-vous sur elle. Si vous pensez au zazen à ce moment-là, c'est mauvais. Harmonisez-vous avec votre famille, elle vous suivra et s'harmonisera avec vous !

Si vous avez envie de vous mettre en colère, si vous vous laissez emporter par vos passions, alors expirez profondément comme en zazen. Ce sera bien plus efficace.

— *On dit que l'attention à la posture et à la respiration est satori. Ne peut-on atteindre cette concentration dans la vie quotidienne ?*

— En exerçant son attention dans la vie quotidienne, on peut rester concentré. C'est la même chose que de faire zazen : aller aux toilettes, manger, travailler.

Si vous vous habituez à être concentré à travers le zazen, cet esprit concentré vous pourrez le réaliser dans toutes vos actions, inconsciemment, naturellement, automatiquement. Évidemment, au début la volonté est nécessaire. Mais la concentration est difficile à obtenir par la seule volonté : il faut toujours y penser. Si vous faites zazen, vous vous habituez à être concentré et vous le devenez pour toutes choses. Et si vous continuez à pratiquer zazen, vous vous serez concentré sans que cela passe par la volonté.

— *Comment un effort conscient, dans la vie quotidienne, peut-il apporter un résultat naturel, automatique ?*

— Le corps et l'esprit ne sont pas séparés. Si vous devez faire attention alors le corps se concentre et la conscience aussi. Les deux le sont en même temps. Si vous vous concentrez sur l'esprit, le corps aussi se transforme. Si le corps n'est pas concentré, il s'avachit de même que l'attitude de l'esprit. Si le corps se concentre, l'esprit se concentre également. Il n'y a pas seulement un seul côté.

Si vous êtes sur une route, vous pensez que vous devez faire attention aux voitures. Votre corps et votre esprit sont concentrés.

Pendant zazen si vous pensez à la posture, vous restez

concentré et je vois votre concentration. Toutefois si vous êtes trop concentré, cela aussi est mauvais.

Dans la vie quotidienne, c'est la même chose : en mangeant, en vous promenant, aux toilettes... Dans tous les moments de la vie, si la posture est mauvaise, l'esprit aussi devient mauvais. Et vice versa.

— *Nous vivons dans un monde de peur. Comment la résoudre ?*

— Il y a de nombreuses sortes de peurs. Par exemple, celle de manquer un examen : il n'est pas nécessaire de s'y attacher. Il vaut mieux abandonner l'idée de réussir l'examen : alors, vous n'aurez plus peur. On reste trop attaché à son ego, c'est pourquoi on a peur. La crainte, la peur sont liées à l'attachement.

Il vaut mieux fuir la peur. Il faut se concentrer ici et maintenant. La peur est le résultat du doute, de l'anxiété. Ne soyez pas trop attaché aux dangers et n'en approchez pas. Mieux vaut les fuir. Le contraire est stupide. Nous devons sentir à l'intérieur de notre corps si un accident va arriver. S'il y a trop de bruit, trop d'excitation, il vaut mieux rester assis tranquillement à sa place. N'allez pas dans des endroits dangereux. Bien sûr cela est différent pour ceux qui aiment l'aventure.

Dans notre vie, inutile d'avoir peur. Mais si nous ruminons, pensons, doutons, nous aurons encore plus peur. Concentrez-vous sur l'expiration. Alors le cerveau reviendra à sa condition normale. Vous ne devez pas être égoïste. Lorsque vous abandonnez votre ego, vous n'avez plus peur. Si vous êtes toujours juste, vous êtes fort. Mais ne vous tenez pas près du démon ni du danger.

— *J'aimerais savoir ce que vous pensez de la macrobiotique.*

— C'est un régime alimentaire surtout destiné à soigner les maladies. Une technique thérapeutique, pas une philosophie ni une religion.

Moi aussi, je deviens parfois macrobiotique pour ma santé. Mais pour les jeunes surtout, cela n'est pas nécessaire. Si vous mangez comme un pigeon dès votre jeunesse, votre estomac sera trop faible; parfois la viande, l'alcool sont nécessaires. Mais si vous en mangez et en buvez trop, alors la macrobiotique devient nécessaire.

Mais ce n'est pas le zen. Zazen est la vraie religion profonde. Si vous pratiquez zazen, vous pouvez comprendre ce qui se passe dans votre corps et vous pourrez choisir le régime dont vous avez besoin. A travers zazen, vous pouvez comprendre et ensuite contrôler.

Les gens qui pratiquent la macrobiotique ont tendance à trop s'attacher aux questions du corps, au choix des aliments, et, à la fin, ils deviennent malades. Trop s'attacher à la santé mène à l'égoïsme. Un égoïsme inconscient, mais un égoïsme. Il est important de faire attention à sa santé, mais trop s'en préoccuper affaiblit l'esprit. Je connais beaucoup de macrobiotiques, ils manquent de compassion, ils sont égoïstes. C'est pourquoi le bouddha Çakyamuni a abandonné l'ascétisme qui détruit l'harmonie avec le social.

Lorsque vous êtes avec les autres, si vous refusez tout, vous ne pouvez pas vous harmoniser. Je ne tiens pas à manger de la viande mais lorsque les gens m'en proposent, je dois accepter. Il est extrêmement important de s'harmoniser. Je suis moine donc je dois éduquer les gens, leur apprendre ce qu'ils ont à faire ; le devoir du moine est d'observer les préceptes, mais cela ne recouvre qu'un seul côté ; aussi, je regarde chacun et mon enseignement diffère pour chacun. A ceux qui ont un esprit étroit, je dis « vous devez boire du whisky ou bien prendre un gigolo », à une autre personne je dirais « Arrêtez l'alcool, renvoyez votre gigolo. »

— *Est-ce que le jeûne existe dans le zen ?*

— Oui, mais il n'est pas nécessaire pour les gens en bonne santé. Il nettoie le corps, c'est parfois utile. Il est bon de jeûner une fois par an ou par mois. Je l'ai fait dans ma jeunesse. Il est bon également de parfois moins manger, et c'est moins austère de contrôler ce que l'on mange que de jeûner.

Il ne faut pas être obsédé par les questions de ce qu'on mange et boit et ce qu'on ne mange pas ou ne boit pas. Il est difficile pour les jeunes de se limiter et il ne faut continuer aucun régime trop longtemps.

On doit manger de tout, alors l'esprit devient large et généreux. Mais, en même temps, on doit contrôler, prendre un peu de chaque chose, et rien de trop.

— *Que pensez-vous de l'éducation des enfants ?*

— Question importante et difficile. C'est comme un cerf-volant : parfois il faut tirer, parfois lâcher du lest. Si on tire trop, il tombe ; pas assez, il tombe aussi.

Les enfants modernes sont gâtés, gaspillés. Il faut

contrôler sa sévérité et sa gentillesse, trouver un équilibre.

Si la mère possède cette force, son enfant l'aura. L'éducation de la mère est importante. Si elle se trompe, l'enfant se trompe. L'honnêteté aussi est nécessaire : l'enfant doit pouvoir voir dans l'esprit de sa mère. Si elle se trompe, elle doit s'en excuser auprès de l'enfant.

ZEN ET CHRISTIANISME

— *Quelles sont les grandes différences entre le christianisme et le bouddhisme ?*

— Si l'on pense qu'il y a des différences, il y en a. Si on pense qu'il n'y en a pas, il n'y en pas. L'origine est la même, mais on veut toujours faire des catégories.

Quand vous regardez du dehors, ils diffèrent complètement. Mais dans l'esprit profond, je ne trouve pas de différences. Ils sont interdépendants. Le bouddhisme a fortement influencé certains théologiens chrétiens et vice versa, certains pasteurs ont influencé le bouddhisme. Les deux influences ont été profondes. Cela aboutit, dans l'essence, à une seule et même religion.

Le père Lassalle ne fait jamais de conférence sur le christianisme. Il parle toujours de zen. Beaucoup de chrétiens font de même ; leurs conférences portent sur le zen et non plus sur le christianisme. Parfois, mes conférences traitent du christianisme ; quelquefois, j'oublie Bouddha et je ne parle que de Dieu et du Christ. Selon certains penseurs, cinq grands Initiés sont à la base du bouddhisme, christianisme, islamisme, judaïsme, taoïsme. Il faut donc comprendre les racines. Le zen, c'est vouloir comprendre les racines de toutes les religions. Le reste, c'est de la décoration.

— Le zen est expérience pure et n'est pas simplement identifiable au bouddhisme, même s'il s'est épanoui en son sein. Jusqu'à présent la « philosophie » qui a essayé d'en exprimer quelque chose (puisqu'il faut bien parler un peu... même si ce n'est pas désirable) l'a fait dans un contexte bouddhiste. Pensez-vous que si des chrétiens pratiquent le zen, ils puissent un jour en exprimer quelque chose sous une forme qui pourra « philosophiquement » différer notablement de la forme bouddhiste (par exemple sur des points comme l'interprétation de la relation entre la vie ici et après la mort, ou comme le rapport entre un Dieu créateur et l'essence des choses)?

— Le zen n'est pas philosophie, n'est pas psychologie, n'est pas doctrine. Il est au-delà des philosophies, des concepts, des formes. L'essence du zen ne s'exprime pas avec des mots. Bien sûr, il y a le bouddhisme zen qui est un cadre traditionnel avec ses disciplines, ses rites et ses règles. Et il y a le zen qui est ouvert à tous en ce qu'il représente d'universalité de la conscience et de la pratique de la méditation, par la parfaite posture du zazen; mais aussi le moyen de développer la présence à soi-même dans un art de vivre ici et maintenant, dans la perfection de l'instant, d'apprendre à libérer et à maîtriser toutes les énergies qui sont en nous et, ce faisant, participer pleinement à la création qui se fait à travers nous et par nous quotidiennement. La philosophie vient après la pratique.

Mais il est important de rattacher le zen à son origine et de le bien connaître — jusqu'à la source indienne, puis chinoise avec le Ch'an et la lignée de tous les Maîtres jusqu'à aujourd'hui, sinon on risque de répandre non le vrai zen mais n'importe quoi.

Si l'on est fidèle à la pratique, le zen est création continue.

A travers une connaissance profonde de l'esprit et de la source, les Européens peuvent à leur tour créer un zen original qui leur soit propre.

— *Comment parler de Dieu ?*

— Dans la civilisation moderne, les gens ont besoin d'une base scientifique pour croire en un Être suprême. Il y a trop de dieux, de bouddhas. Ils ne se rendent pas compte de ce que cela représente. Pour les chrétiens convaincus, cela évoque quelque chose, de même que pour les bouddhistes convaincus. Mais dans le bouddhisme, on abandonne finalement cette union avec Bouddha pour parler de ku, la vacuité. C'est plus scientifique.

En Europe, mes conférences semblent faciles, car Dieu, c'est l'absolu. Mais au Japon, en Extrême-Orient, il y a trop de sectes bouddhistes, trop de religions. Cela devient très compliqué car il y a beaucoup de catégories.

Au Japon, quand on meurt, on dit qu'on devient Bouddha et le mot Bouddha évoque la mort. Alors, les jeunes ne peuvent pas comprendre.

— *Quelle est la différence entre la passion du Christ et la compassion du Bouddha ?*

— Le Christ s'est opposé aux gouvernants de son temps. Un véritable homme religieux doit s'opposer à une mauvaise politique. Il se sacrifie pour les hommes. Si le Christ n'avait pas été crucifié, le christianisme ne se serait pas développé. C'est pourquoi la Croix est très importante. Les apôtres ont ensuite diffusé et organisé son enseignement ; ils ont développé l'esprit de compassion envers sa mort cruelle. La mort du Christ a fait la puissance de leur mission. Pour le Christ comme pour Bouddha, l'amour universel est important. Compassion signifie amour et compréhension de l'esprit de l'autre : si un homme souffre, il faut ressentir de la « sympathie » pour lui. La plupart des gens sont envieux, cela se situe à l'inverse de la compassion. Si quelqu'un est heureux ou réussit, nous sommes heureux avec lui, s'il est triste, nous le sommes aussi.

Passion et compassion ne sont pas différentes originellement. Le Bouddha était âgé, il éprouvait de la compassion, le Christ était jeune et connut la passion ; le Christ a eu moins d'expériences de la vie, c'est la seule différence. Quand on lit la Bible, c'est très moraliste. En lisant les sutras, les jeunes y trouvent de nombreuses contradictions car ils incluent beaucoup de choses, à droite, à gauche. Le Christ, c'est la beauté, la pureté, l'émotion ; le côté moraliste est dur, très fort dans le christianisme. Dans le bouddhisme, il l'est aussi mais en dernier lieu, les illusions deviennent satori. Des désirs forts sont comme un gros morceau de glace qui donne beaucoup d'eau, de grands bonnos font de grands satoris. Si les désirs sont élevés, ils font une personnalité très large qui peut embrasser toutes les contradictions. Bouddha a eu de nombreuses expériences, la vie au palais, de nombreuses femmes, puis six années de mortifications. A la fin, il se retrouva à demi mort. Sous l'arbre de la Bodhi il fut tenté et harcelé par toutes sortes de démons intérieurs. Alors qu'il n'avait plus que la peau et les os, Sujyata le soigna et lui donna du lait, tous les jours. Bouddha retrouva peu à peu le goût de la vraie vie, grâce à cette femme, son corps revint à la condition normale et son esprit aussi : satori. L'équilibre est important. Trop de jouissance ou trop d'ascétisme ne sont pas bons.

Après avoir ressenti la vraie vie et la vraie liberté, il fit naître le bouddhisme qui allait à l'encontre des religions traditionnelles alors trop ascétiques ou moralisatrices. Après sont apparus les kaïs — les préceptes — et quand le Hinayana est devenu trop formaliste, le Mahayana a créé une nouvelle sagesse qui à son tour est devenue trop traditionaliste. Les religions doivent toujours être vivantes et ne pas créer de catégories qui rendent le cerveau étroit et compliqué. La religion n'est pas la science, elle n'a pas besoin de catégories.

— *Saint Paul a dit : « Toute la création souffre et attend la rédemption. » Qu'est-ce que cela signifie du point de vue de la compassion ?*

— Dans le bouddhisme tibétain il est toujours question de compassion mais la sagesse aussi est nécessaire. L'une sans l'autre ne peut être authentique. Il faut savoir user de la compassion avec sagesse.

La compassion du père et de la mère est nécessaire pour l'éducation d'un enfant. La sagesse permet de doser sévérité et douceur, tendresse. Je cite toujours l'exemple du cerf-volant : pour lui permettre de bien voler, il ne faut ni trop le tirer ni trop le lâcher. L'équilibre est très important.

La compassion du Bouddha s'adresse à tous les hommes sans distinguer les riches et les pauvres. Il ne s'agit pas de résoudre les problèmes politiques et les guerres. La religion sauve les hommes à une plus haute dimension : le problème est de changer l'esprit des hommes. Il ne s'agit pas de révolution politique mais de révolution à l'intérieur des esprits. Si les hommes ne changent pas à l'intérieur d'eux-mêmes, rien ne peut changer. La crise de notre civilisation vient de ce que la plupart des hommes ont un esprit anormal. Si l'esprit change, la civilisation change. On pourrait ainsi résoudre le problème du pétrole... en venant faire des sesshins au lieu de regarder la télévision ! Par votre comportement vous influez sur celui des autres.

— *Voici la réponse que m'a donnée un moine zen à Eihei-ji, où j'étais l'an dernier, après un long entretien : « Dans le zen, quand on a le satori, on peut dire : je suis Dieu ! » Peut-on interpréter sa déclaration suffocante et la rapprocher de celle de saint Paul qui dit : « Ce n'est plus moi qui vit, mais le Christ qui vit en moi ! »*

— Zazen est la même chose que Dieu ou Bouddha. Dogen, maître de la transmission, disait : « Zazen lui-même est Dieu. » Il voulait dire par là qu'en zazen, vous êtes harmonisé avec le cosmos.

En conscience d'hishiryo, tout est terminé. C'est la conscience du satori. Le moi est coupé et dissous. C'est la conscience de Dieu. C'est Dieu.

Les gens ont un Dieu personnel. Nous ne sommes pas séparés. Il n'y a pas dualité entre Dieu, Bouddha et nous.

Si je dis « Je suis Dieu ou Bouddha », c'est que je suis un peu fou. Mushotoku est important. Si on pense consciemment à Dieu ou Bouddha, ce n'est pas bon. Si je vous dis pendant votre zazen « Vous êtes Dieu ou Bouddha », c'est totalement différent que si vous le dites vous-même en parlant de vous. Il ne faut pas avoir de but dans le zen.

— *En état d'hishiryo, le soi personnel, même illuminé, demeure toujours. Maître Eckart a dit : « Si vous vous videz, Dieu entre en vous. »*

— Dans le zen, l'ego entre en Dieu.
Dieu entre dans l'ego.
Les deux sont nécessaires.

— *Je pense que la méditation zen permet une conscience plus profonde de soi par l'intermédiaire du corps, par une posture appropriée, par une perception du corps qui donne conscience d'appartenir au cosmos. Mais ce n'est pas une conscience cosmique pour moi. C'est la conscience d'être, par mon corps, participant du cosmos. Je ne pense pas que le cosmos lui-même ait une conscience propre.*

— C'est impossible à sentir consciemment. C'est pourquoi les maîtres procèdent par paraboles, poèmes ou peintures. Pour la philosophie chinoise, la terre et moi-même avons la même racine. Si on dit toujours « Dieu, Dieu, Dieu... » à l'époque actuelle, les gens ne comprennent pas de quoi on parle et ils ne peuvent pas croire. Dans le bouddhisme, il en est de même avec Bouddha. Mais où est Dieu ? Nous ne pouvons pas le voir. Avec le système cosmique, la conscience cosmique, nous pouvons comprendre. C'est physiquement existant, c'est l'énergie. Même la science s'intéresse à présent à ce qu'est l'énergie du cosmos.

Nous devons recevoir cette énergie en nous par la

respiration, par l'alimentation, par notre peau. Mais il n'y a pas que cela. Nous avons aussi un ego, une conscience personnelle. La conscience aussi reçoit l'énergie du cosmos.

Des physiologistes ont étudié cela et l'ont certifié. Mais si notre conscience personnelle et notre ego sont trop forts, on la reçoit mal. C'est pourquoi il faut abandonner cette conscience personnelle pour recevoir Dieu. Si nous nous intériorisons par la concentration alors nous sommes réceptifs. Avec zazen, pendant une sesshin, la conscience personnelle se purifie par la méditation et les neurones deviennent calmes. On peut alors recevoir pleinement l'énergie cosmique.

— *Je pense aussi que la conscience se vide de toutes les impressions habituelles, de tous les événements qui nous frappent et nous touchent, pour atteindre un niveau de conscience plus profond, qui est le sens d'appartenir à un plus grand que soi, l'ordre cosmique.*

— Par ce vide, on reçoit facilement l'énergie cosmique parce que nous ne vivons pas seulement par nous-même. L'ordre cosmique nous dirige. Par exemple nos nerfs autonomes ne fonctionnent pas par notre volonté. Ils sont dirigés par la vie cosmique. Dans la religion, on dit : « Dieu dirige. » Nous ne sommes pas seuls, notre vie est dirigée par Dieu, Bouddha, par la manifestation de l'énergie.

— *C'est peut-être l'expression de « conscience cosmique » qui est à l'origine de mon hésitation. Teilhard de Chardin parle d'un « sens cosmique »; quand nous descendons en nous-même, nous avons l'impression d'appartenir au cosmos. Ceci ne revient-il pas à attribuer une conscience au cosmos lui-même ?*

— La conscience coïncide avec la vie. Les médecins japonais disent : « Tout a une conscience, tout est conscience. » Même les plantes ont une conscience : si on veut couper une fleur brutalement, elle se rétracte. La science fait des recherches dans ce sens actuellement.

Chaque existence a une conscience. Tout est difficile a expliquer en dernier. C'est pourquoi on dit « Dieu ». J'étudie cela profondément en ce moment, parce que dans le zen, il faut toujours trouver une caution et être réaliste. Alors, quelquefois, le zen nie le Bouddha. Qu'est-ce que le système cosmique ? Qu'est-ce que la vérité cosmique ? A la fin, on dit « Dieu » ou « Bouddha ». C'est le terme ultime. Si les gens croient en Dieu ou en Bouddha, c'est plus profond. Mais nous ne devons pas faire de catégories et j'essaie d'expliquer à la fois scientifiquement et par des poèmes. Ne faites pas de catégories. Si vous en faites, ce n'est pas le vrai Dieu, le vrai Bouddha.

Je dis que notre conscience est plus rapide que le cosmos. Cela signifie que Dieu dépasse le cosmos. Dans le bouddhisme, ku, la vacuité, excède le cosmos.

DIALOGUE AVEC DES MOINES CHRÉTIENS

Ce mondo qui eut lieu au monastère dominicain de l'Arbresle fut l'occasion d'un dialogue entre les pères dominicains et Maître Deshimaru :

— *Je voudrais vous poser une question au sujet de la disparition de l'ego. Il y a un aspect de l'ego que je comprends facilement, c'est son aspect instinctif, son réflexe de défense : l'ego refuse de céder à toute correction. Mais une chose me semble plus difficile à comprendre : c'est de parvenir, comme on le dit dans le zen, à un dépassement radical de toute espèce d'ego.*

— Abandonner l'ego est très difficile ; je n'ai pas dit qu'il disparaissait totalement. On peut croire dans sa conscience ou dans son esprit qu'on abandonne l'ego mais le corps ne suit pas toujours. Le zen, par l'entraînement du corps, nous entraîne à l'abandon de l'ego. Pendant zazen, on souffre mais si on peut patienter et abandonner sa douleur au niveau de la conscience, on crée par la répétition de cette pratique un entraînement inconscient à l'abandon de l'ego. Il est très facile d'abandonner l'ego par la pensée, mais l'abandonner « ici et maintenant », tout de suite, est très difficile. Par la répétition du zazen, on entraîne son corps et on abandonne l'ego inconsciemment. C'est l'éducation zen.

— *Peut-on abandonner l'ego complètement ? N'est-ce pas un idéal ?*

— C'est en effet très difficile. Mais au fond qu'est-ce que l'ego ? Nous n'avons pas de noumène, notre ego n'a pas de noumène.

— *Ne pourrait-on pas considérer que cet abandon de l'ego revient à faire un acte comme tous les actes, travailler, saluer quelqu'un, ou gagner de l'argent. C'est un acte qui serait plus immense mais un acte quand même ?*

— Cet abandon de l'ego n'est pas important dans les actes quotidiens, mais comment abandonner l'ego au dernier moment de sa vie ? Dans le bouddhisme, la notion de sacrifice n'est pas tellement importante. Quand nous devons mourir, nous devons mourir.

— *Ne pouvons-nous pas donner un sens à notre mort ?*

— La mort, c'est la fin. Quand on doit mourir on meurt. C'est « ici et maintenant » qui est important. Si quelqu'un me tient en joue, ma mort est « ici et maintenant », sans peur. Lorsque l'on a un cancer, c'est la même chose. On peut se dire : « je dois mourir ». Ce qui est important, c'est de prendre la « décision » de mourir.

— *Est-ce que cette décision a un sens ?*

— Cela n'a pas de sens. On ne doit pas y apporter une signification quelconque, on doit mourir, c'est tout. Ce n'est pas au moment de mourir que l'on doit se dire : « comment mourir, pourquoi mourir ». Dans un tournoi à deux sabres, on ne se dit pas : « Je ne veux pas mourir ! Et si je perds comment vais-je faire ? » Dans le combat, c'est le corps et l'esprit ensemble qui agissent et qui acceptent la mort. Pour vivre.

Vouloir abandonner l'ego par la pensée, c'est très difficile. Par l'entraînement du corps en zazen, nous apprenons à abandonner notre corps et nos angoisses disparaissent. Par la pensée, c'est difficile car la pensée est égoïste. Par l'abandon du corps, la mort devient facile. Quand nous devons mourir, nous mourons, sans bouger, sans rien. Mais lorsque ce n'est pas le moment de mourir, ce n'est pas la peine de mourir, il faut se sauver. Ceci est très clair. Mais je comprends ce que vous avez voulu me dire.

— *Le problème n'est pas d'accepter la mort mais de savoir si on l'accepte « ici et maintenant ».*

— On peut accepter de mourir par la pensée, mais il faut que le corps, lui aussi, prenne cette « décision ». Mourir par le cerveau ou par la pensée est impossible.

— *Est-ce seulement la « décision » du corps qui est valable et pourquoi pas celle de la pensée ?*

— Il est très difficile pour l'esprit de « décider » de la mort. Même un grand maître qui dit : « Je veux mourir maintenant ! » tout au fond de lui-même n'a pas envie de mourir. Le Christ lui-même en sentant venir sa fin a souhaité ne pas mourir. C'est pour cela qu'il faut abandonner le corps, mais malgré cela, il reste toujours une petite pensée de refus dans le cerveau.

Dans les religions traditionnelles, il est toujours question d'un paradis ou d'une autre vie après la mort. C'est une méthode pour préparer les gens à la mort.

Soit on pense à la mort avec l'espoir d'une vie future, dans un au-delà, soit, si l'on n'y croit pas, on vit dans la peur du moment d'entrer dans son cercueil. Mais si, « ici et maintenant », je dois mourir, si mon corps accepte la mort, ma conscience demeure paisible. Si avant de mourir, on pense à son corps, la mort est difficile. Car le corps ne « décide » pas non plus de mourir. Le corps est matière, ce n'est pas le vrai Moi. La conscience non plus n'est pas le vrai Moi, elle est toujours changeante. Nous devons comprendre notre noumène, comprendre que nous n'avons pas de noumène et que rien n'est important. Si on comprend cela, ce n'est pas la peine de vouloir abandonner l'ego. Quel est l'ego qui comprend cela ? Il existe, c'est Bouddha, c'est Dieu, la Vérité la plus haute.

— *Comment est mort Bouddha ?*

— Bouddha est mort vieux, à quatre-vingts ans passés, après avoir mangé du sanglier. Quand il est mort, il était paisible, sans angoisse. Quand on doit mourir, on meurt, on retourne au cosmos. Quand notre activité s'achève, quand notre vie est finie, alors il faut mourir. Il faut comprendre : « Maintenant et ici, je dois mourir. »

— *Qui comprend ?*

— C'est le véritable ego qui comprend. C'est lui qui prend la décision. Socrate a dit : « Connais-toi toi-même. » C'est cela le problème essentiel de toute pensée spirituelle élevée. La plus haute philosophie est celle de ku, existence sans noumène. L'ego n'a pas de noumène. La conscience change sans cesse et est sans noumène. Dans la matière, après l'atome, les neutrons, il n'y a rien. Dans notre corps aussi, en dernier lieu, il n'y a rien non plus, pas de noumène. C'est le véritable ego qui peut réaliser cela. Petit à petit, par zazen, l'immobilité, la non-pensée, cet ego apparaît : c'est comme se regarder dans un miroir. En fait, ce n'est pas l'ego, peut-être est-ce, dans le christianisme, ce qu'on appelle Dieu. Mais dans le zen, on l'appelle le véritable ego, l'ego absolu. Cet ego n'a pas de noumène. C'est lui qui comprend. Il faut que quelque chose comprenne et la seule chose qui puisse comprendre, c'est Dieu ou le cosmos. C'est l'ego qui a tout abandonné, c'est l'ego qui a coupé avec la famille, l'argent, les honneurs, l'amour, c'est lui aussi qui a abandonné le corps, c'est le nirvana.

Qu'est-ce que l'ego dans le christianisme ? Je parle beaucoup de la mort parce que dans le christianisme, Jésus a délibérément offert sa vie comme un acte. Comment Dieu a-t-il pris en lui-même la « décision » de mourir ?

— *Jésus a mené un combat parmi les hommes. Ses ennemis ont voulu sa mort ; il a accepté librement cette mort plutôt que de trahir sa mission. Il a fait de sa mort sa mission, c'est-à-dire la manifestation aux hommes de l'amour, du don de lui-même.*

— Le Christ a pu mourir de cette façon. Mais les autres hommes peuvent-ils faire la même chose? Comment pensez-vous que les gens doivent affronter la mort? Le Christ est à part : il a décidé de mourir pour sauver l'humanité, mais les autres hommes que doivent-ils décider?

— *Dans la vie chrétienne, les autres hommes sont appelés à imiter la manière dont Jésus est mort.*

— Dans le but d'aider les autres? Comment chacun pourra-t-il « décider » au moment de mourir?

— *Il n'est pas nécessaire de donner sa vie pour l'amour des hommes. Il y a des actes beaucoup plus simples, comme d'aider son prochain, qui sont plus accessibles pour tout le monde dans l'immédiat.*

— Le rôle de la religion est d'aider les hommes à affronter le moment de la mort. A cet instant ultime, l'attitude du corps et de l'esprit est très importante. Que doit-elle être? Accepter la mort inconsciemment. L'homme qui réalise cela trouve sérénité jusqu'à cet ultime moment. C'est cela le propos de l'éducation zen.

— *Si je comprends bien le zen, il me semble qu'il peut aider, plus que le corps, l'être tout entier à prendre cette décision. Le but du christianisme est de donner sa vie à Dieu pour sauver les autres.*

— On dit qu'après la mort, nous rejoindrons Bouddha, que si notre vie a été exemplaire, nous irons au paradis. Ceci peut être une méthode pour aider les autres. Avant, je croyais que c'était comme cela. Maintenant, j'y crois encore un peu peut-être... Il est très difficile de choisir.

— *Mourir pour Dieu ou pour les hommes, est bien différent que de mourir pour rejoindre un paradis.*

— Au Japon, existe l'École Amidiste. Ma mère en faisait partie et elle m'a élevé dans cet enseignement : qu'il y avait un paradis au-delà de la mort. Maintenant, je n'y crois pas, mais peut-être qu'au moment de mourir, j'y penserai à nouveau...

Certains maîtres, avant de mourir, se sont levés et se sont mis en zazen, certains sont même morts debout. C'est une bonne façon d'éduquer ses disciples avant de mourir. Mais peut-être qu'au moment de mourir, mes dernières paroles à mes disciples seront : « Je ne veux pas mourir. » Face à la mort, je ne pourrais pas décider quelle est la meilleure attitude. C'est un grand koan. Après la mort, tout est fini, il n'y a plus rien. Jusqu'à la mort, chacun a une conscience et cette conscience continue éternellement. Mais au moment de la mort, quel état d'esprit devons-nous avoir ? Pendant la guerre, j'ai vécu une expérience proche de la mort : j'ai dû aller du Japon en Indonésie sur un bateau chargé de dynamite. Sur le bateau, je faisais zazen et tandis que les bombes tombaient, je pensais : « Maintenant je vais mourir. » Si on abandonne son corps, la mort devient plus facile pour la conscience. Je me disais : « Après la mort, qu'est-ce que je vais faire ? » Je pensais à ma famille et à ce moment-là il est très difficile de « décider » sa propre mort. Si j'étais seul, cela irait peut-être mais en pensant à mes parents ou à ma famille, je ne voulais pas mourir. Après ces pensées tourmentées vient le calme : « Maintenant et ici je vais mourir. » Après l'expérience psychologique de cet état, on connaît la sérénité qui précède la mort.

C'est un grand problème dont on pourrait discuter pendant des jours. C'est aussi l'essence des religions. Après cette expérience de la mort, j'ai décidé de devenir moine. Ma famille pour moi est importante, mais si je dois l'aider, je dois aussi aider les autres. Mais comment aider les autres à vivre cet instant de la mort ?

L'homme a peur de la mort. Il court toujours après quelque chose, l'argent, les honneurs, le plaisir. Mais si vous deviez mourir maintenant, que désireriez-vous ?

Les religions à l'époque actuelle peuvent-elles nous apporter la réponse ?

— *Je crois que dans le cas du Christ, ce qui me touche, ce n'est pas qu'il soit mort, mais qu'il soit ressuscité.*

— C'est votre foi. Mais certains n'y croient pas. Et comment aider ceux qui ne croient pas ? C'est un grand problème.

— *Supposons qu'un bouddhiste ne se pose plus de question à propos de sa mort, quelle est sa raison de vivre ?*

— Il n'y a que les grands maîtres qui n'ont pas peur. Quand ils doivent mourir, ils meurent. Leur vie est consacrée à aider les autres.

— *Les chrétiens vivent aussi pour aider les autres.*

— Mais aider les autres, qu'est-ce que cela signifie ? Est-ce faire l'amour, donner de l'argent ? L'aide la plus haute est d'apporter la paix spirituelle aux hommes. Mon Maître m'a donné ce trésor inestimable que tous les hommes recherchent.

— *Est-ce une recherche pour les autres ou pour soi-même ?*

— Qu'est-ce qu'aider ? Aider en quoi ? Aider qui ? C'est un grand koan. Si on ne sait pas ce que signifie aider, comment aider ? Là se trouve le premier problème.

LA PRATIQUE

行持

沙門泰仙

FAIRE ZAZEN

— *Pourquoi pratiquer puisque vous dites souvent que tout est le zen ?*

— La plupart des gens ne connaissent le zen qu'à travers les livres, les arts martiaux, l'ikebana, ou chado (cérémonie du thé). Toutes ces choses font partie du zen, chaque phénomène fait partie du zen ; le papier hygiénique lui-même est le zen. Mais si vous ne faites pas l'expérience de zazen, vous ne saisirez rien du zen ; car zazen contient l'esprit du zen, sans lui les autres ne font pas partie du zen.

L'essence du bouddhisme se trouve dans la pratique du zazen.

Beaucoup de savants font des conférences sur le zen d'une façon très érudite et très juste ; mais ils n'ont pas d'expérience du zazen car ce sont des professeurs et non des moines. Si un verre est rempli d'eau on peut disserter sans fin sur ses qualités : à savoir si elle est froide, chaude, si c'est bien d'H_2O qu'il s'agit, si c'est de l'eau minérale ou du saké. Zazen permet de boire directement.

Un aveugle un jour prit la jambe d'un éléphant entre ses bras et en déduisit qu'il avait affaire à un arbre tiède. Du point de vue de l'aveugle ce n'était pas une erreur, mais ce n'était pas non plus la vérité.

Les érudits restent à la périphérie de la Réalité et de l'Essence. Or ce n'est qu'après avoir compris l'essence du zen qu'on peut dire que tout est zen.

Vous pouvez comprendre intellectuellement ce qu'est la concentration, le « ici et maintenant », la philosophie du temps et de l'espace, le non-profit et le non-dualisme. Mais la véritable essence, c'est la méditation, qui consiste à se regarder soi-même. A l'intérieur.

Je vous enseigne uniquement la méthode pour vous comprendre vous-mêmes, pour répondre à la question : qu'est-ce que l'ego ?

Sans la pratique de zazen il n'y a pas de zen. Si vous faites zazen, tout dans votre vie devient zen, le papier hygiénique également. Mais sans zazen, le zen n'est rien ! Un beau temple où l'on ne pratique pas n'est qu'un temple à touristes, à cérémonies, un vrai cimetière.

Sans la méditation en zazen, les livres sur le zen ne valent rien.

Mais si vous pratiquez zazen, même sans temple, c'est le vrai zen, même si vous n'êtes pas moine, même si vous vous trouvez dans une prison. Zazen c'est la respiration juste, l'état d'esprit juste, la posture vraie. Ce n'est pas arrêter les pensées, mais les laisser passer en revenant toujours sur la posture pour l'empêcher de se relâcher.

Car si l'on se concentre sur la respiration et la posture, alors l'attitude de l'esprit devient automatiquement correcte et la sagesse se manifeste inconsciemment.

— *Peut-on parler de progrès dans la pratique du zazen ?*

— Si vous pratiquez chaque jour, chaque jour en soi est un progrès. L'esprit change constamment. Si vous faites seulement zazen une fois, il y a déjà progrès.

Ce progrès n'a rien à voir avec les marches d'un escalier où se trouverait, en haut, le satori. Si vous faites zazen ici et maintenant, vous pouvez devenir pareil à Bouddha, pareil à Dieu. Il n'y a pas de stades.

Le vrai zen coïncide avec l'ici et maintenant de chacun. Si vous êtes réellement sans but ni esprit de profit, mushotoku, vous réalisez Bouddha ou Dieu. Mushotoku est très difficile à pratiquer dans la vie quotidienne, mais pendant zazen, quand on ne recherche rien, quand on ne dit pas : « Il faut que j'aie le satori, il faut que j'aie une bonne santé, il faut que je devienne Bouddha, peut-être que, maintenant, je le suis », alors on peut ressentir mushotoku.

Aujourd'hui, la plupart des gens étaient très calmes. Je voulais aller chercher le kyosaku, mais ce ne fut pas nécessaire. Je n'ai pas voulu déranger votre esprit.

Tout le monde était mushotoku.

Il est très difficile d'abandonner l'ego, mais si vous faites zazen, vous pouvez devenir mushotoku.

Pourquoi le Christ, Bouddha, tous les saints et tous les sages restent-ils grands ? Car ils ont abandonné l'ego. Jésus et Çakyamuni étaient des hommes mais ils ont abandonné leur ego et, à ce moment-là, ils devinrent mushotoku ; alors, ils sont devenus Christ, Bouddha.

Le zazen des jeunes et celui des gens de quarante, cinquante, soixante ans ne sont pas les mêmes. Ce n'est pas une question de progrès. Quand on est jeune, il faut avoir une vie de jeune. De même, la posture des hommes et celle des femmes sont différentes. Chaque zazen s'avère différent. Vous devez donc trouver votre propre zazen. Vous devez trouver vos mauvais points. Quand je corrige les postures, certaines sont comme ceci ou comme cela. Quand je vous regarde de dos, je vois vos déséquilibres alors qu'en vous-mêmes, vous trouvez votre posture très confortable. Vous devez vous corriger et couper tous ces mauvais points. Si vous trouvez votre attitude juste, vous arriverez à une posture originelle, à une belle posture. Chacun doit trouver sa propre originalité et ainsi chacun devient-il beau.

— *Qu'est-ce que shikantaza ? Qu'est-ce qu'hishiryo ?*

— Shikantaza ? C'est seulement zazen, se concentrer sur l'acte de zazen. Ne croyez pas que c'est ne pas faire pipi, ne pas manger, ne pas dormir. Shikantaza ne signifie pas cela mais zazen conduit notre vie, zazen est le centre de notre vie. Il ne faut pas mélanger shikantaza et les problèmes de notre conscience.

Pendant zazen, on ne peut pas sans cesse arrêter de penser, ce n'est pas possible. Parfois on pense, parfois on observe. Seulement, on le fait inconsciemment. On ne peut pas continuer toujours la concentration. On observe les fesses de la dame devant soi ou ses phantasmes... Difficile d'être toujours concentré. Les pensées viennent. Laissez-les passer, ne vous concentrez pas sur des pensées personnelles. Hishiryo est la pensée infinie du cerveau : la pensée cosmique, pas celle des petites choses mais la pensée qui inclut tout le cosmos.

— *Recommanderiez-vous à un malade la pratique du zazen comme une médecine ?*

— Se guérir est un but. Aussi, je ne dis à personne de faire zazen pour se guérir. Mais si vous croyez en une chose et si vous voulez aider, vous pouvez recommander de faire zazen. Quelquefois, je le dirai, quelquefois je ne le dirai pas. Chacun est différent. Pour chacun, il faut une méthode et des moyens différents.

Si je veux faire faire zazen à des gens forts, je leur dis : « Ne venez pas, mangez plutôt du chocolat ; zazen est difficile, cela fait très mal. » Alors ils me suivent. La règle traditionnelle est de rejeter trois fois quelqu'un avant qu'il ne rentre : « Zazen est difficile, maintenant il y a trop de monde. Pourquoi voulez-vous faire zazen ? Pour avoir le satori, vous êtes fou ! Partez. »

— *Parfois on me demande pourquoi je fais zazen, je ne sais pas quoi répondre.*

— Pour chaque personne la réponse est différente. La première fois que j'ai demandé à mon Maître Kodo Sawaki quels étaient les mérites du zazen, il me répondit : « Rien... » Cette réponse éveilla aussitôt mon intérêt. A cette même réponse par contre, un de mes amis partit sur-le-champ. Pour ma part, je fus très impressionné. Quelle est la meilleure réponse ? Dire que les mérites du zazen sont très profonds ? Pour certains il faut répondre, comme à un enfant : « Si tu fais zazen, tu deviendras fort... » Mais si Kodo Sawaki m'avait fait cette réponse sur la force ou la santé, je n'aurais pas été aussi impressionné et peut-être n'aurais-je pas continué zazen. Mais cette réponse « rien » m'a tellement marqué que j'ai continué zazen jusqu'à aujourd'hui.

Quoi qu'il en soit l'objet de zazen est mushotoku, non-profit. Mais chacun est différent et avant de répondre vous devez regarder le visage de votre interlocuteur.

Les mérites de zazen sont infinis.

— *Pourquoi zazen est-il plus efficace au coucher du soleil ?*

— Il est plus efficace de pratiquer au coucher et au lever du soleil parce que les cellules du corps se modifient. Elles changent deux fois par jour. Quand le soleil se couche, le calme s'établit, les cellules se calment. Quand le soleil se lève, les cellules retrouvent leur activité. Aussi, est-ce bien de se lever tôt le matin. A l'époque actuelle, beaucoup de personnes font le contraire : elles ne trouvent l'activité que lorsque le soleil se couche. Quand le soleil se lève, par contre, elles s'endorment.

Il est très bon de faire zazen au crépuscule et à l'aurore, cela donne de l'énergie, de l'activité à nos cellules. Ce sont les meilleurs moments de la journée.

— *Que pensez-vous du yoga comparé au zazen ?*

— Le zazen est plus facile pour ceux qui ont déjà pratiqué le yoga, mais l'esprit du yoga et l'esprit du zen sont totalement différents. Le yoga suit la religion traditionnelle indienne qui était fondée sur l'ascétisme et les mortifications. Le Bouddha, lui, a quitté tout cela et il s'est concentré uniquement sur cette posture maintenant appelée zazen. C'est pourquoi les Asiatiques respectent non seulement le Bouddha, mais sa posture. Personne ne s'incline devant quelqu'un qui se tient sur la tête, mais on s'incline devant la posture de zazen.

— *Comment faire zazen tout seul, chez soi ?*

— Pratiquer zazen seul est difficile car l'atmosphère du dojo, la présence du Maître et des disciples sont une aide précieuse pour la méditation. Mon Maître disait souvent que lorsqu'il devait faire zazen seul, sans ses disciples, cela lui était difficile. Dans le dojo naît une émulation qui vous empêche de céder à la première fatigue, à la première douleur. La crainte du kyosaku, la crainte de déranger vos voisins sont des stimulants. Le Maître qui corrige sans relâche votre posture empêche les mauvaises habitudes et vous évite de tomber dans la somnolence. Faire zazen ensemble, avec les autres, nous conduit à pratiquer chaque zazen comme si c'était la première fois. Mais si vous ne pouvez, pour une raison ou une autre, venir au dojo choisissez pour pratiquer zazen un endroit calme, loin de tout bruit, du téléphone, de votre famille (ne lui imposez pas votre méditation). Pratiquez vingt à trente minutes en vous concentrant sur la posture, la respiration, l'attitude de l'esprit ; soyez vigilant, personne n'est là pour vous corriger. Ne soyez ni impatient, ni endormi, faites particulièrement attention à votre menton, sachez faire face à la douleur. Il est important de ne jamais perdre le contact avec l'enseignement, venez de temps en temps au dojo pour être corrigé de vos erreurs si besoin est. Ne pas pouvoir venir ne doit pas devenir chez vous une idée fixe, la meilleure chose à faire est de se concentrer sur son travail, sur chaque instant de sa vie. J'emploie toujours l'image de la goutte d'eau qui par sa régularité finit par creuser le roc le plus dur. Il faut vouloir venir même si l'on ne peut pas, c'est cela qui est important, mais sans que cela devienne un devoir. Cet état de conscience engendre un bon karma.

— *Est-ce que notre zazen a une influence ailleurs ?*

— Oui, votre zazen influence tout le cosmos. Il en est de même si vous faites des gestes menaçants. La statue du Christ, la statue du Bouddha influencent, rendent calme. Vous êtes des Christ et des Bouddha vivants, et la posture de zazen est la plus haute posture. Mon Maître, jeune, est devenu serviteur dans les cuisines d'un temple et faisait zazen tous les jours dans un coin du jardin ou dans une remise. Un jour, un grand moine — qui le malmenait parfois, ouvre la porte et le voit. Sa posture était si belle qu'il referma la porte sans bruit et partit sans paroles. Une personne âgée qui le réprimandait toujours lui donna de l'argent lorsque, par hasard, elle le vit. En Asie, pourquoi respecte-t-on la posture du Bouddha ? Parce qu'elle est la plus haute posture. Quand nous faisons zazen, cela seul est le noumène de notre spécificité, et de notre originalité. Pourquoi me respecte-t-on ? Parce que je pratique zazen. Je ne suis pas tellement intelligent ni parfait, mais ma posture de zazen influence tout le monde. Ma posture de zazen est mon noumène.

LA POSTURE

— *Est-il possible, durant zazen, d'éliminer les douleurs ?*

— Les débutants ont mal parce qu'ils n'ont ni l'habitude ni la conscience normale. Aujourd'hui vous avez mal. Demain vous n'aurez pas mal. Le corps change, il est différent chaque jour. La nourriture nous influence, le milieu nous influence, l'humidité, le climat, la chaleur... Le matin, le midi et le soir ne sont pas pareils. Les autres aussi influencent.

Si vous faites trop longtemps zazen, vous avez mal. Les règles influencent les femmes, elles sont plus sensibles. Après des rapports sexuels, pour certaines personnes, il s'avère très difficile de faire zazen. Pas pour d'autres. Les rapports sexuels ne sont pas bons pendant une sesshin. Les muscles deviennent trop mous, ils se détendent. C'est pourquoi dans le yoga et les religions traditionnelles de l'Inde, l'ascétisme s'est tellement développé.

Dans le Mahayana, l'accent n'est pas du tout mis sur l'ascétisme. Trop d'ascétisme ne conduit pas à la condition normale. Se contraindre pour refuser n'est pas bon, d'autant que cela diffère si vous êtes jeune ou vieux. L'équilibre demeure toujours très important. Si vous cessez d'avoir des rapports sexuels et que vous y pensez malgré tout constamment, ce n'est pas la bonne solution.

Lorsqu'on se contraint trop, le corps bouge pendant zazen. Alors quelquefois il faut avoir des rapports : le zazen s'en trouve amélioré !

La nourriture est aussi importante pendant les sesshins. Il ne faut pas manger trop de viande, cela crée des désirs. Il est préférable de la supprimer. Mais ce ne serait pas sage de dire : « Vous ne devez pas en manger. » La viande est nécessaire, surtout pour les peuples européens. Mais si vous en mangez trop, vous risquez d'avoir des désirs sexuels nombreux et forts. C'est pourquoi, durant les sesshins, il y en a peu. Les gens réagissent différemment. Quand on est fatigué, la viande devient un médicament. Chacun doit trouver son rythme et son régime...

Cela ne fait rien si vous avez mal. Vous devez être patient. Les douleurs disparaîtront. Si vous avez mal pendant zazen et que vous y pensez, la douleur augmente. Mais si vous demandez le kyosaku, quelquefois cela passe. Il est rare que plusieurs endroits du corps fassent mal en même temps. En général, il y a un seul point douloureux et le kyosaku enlève la douleur.

Pendant zazen le kyosaku n'est pas douloureux. Il rétablit l'équilibre. C'est pour cela qu'il est donné entre la nuque et les épaules. Dans les massages japonais, on ne touche pas l'organe malade, douloureux ; le masseur touche un point sur le méridien correspondant à l'organe et la douleur disparaît.

Le « menton rentré » est très important. Si vous rentrez le menton et tendez la nuque, la douleur passe plus facilement.

Et si vous avez trop mal, vous pouvez changer de jambe.

— *Quelle est la signification de la position des mains en zazen ?*

— La main gauche placée sur la main droite est la position la meilleure pour se concentrer et éviter la dispersion de l'énergie. Si on somnole, les pouces tombent, si on est nerveux, les pouces se redressent. On peut ainsi se contrôler et reprendre possession de soi. Par les doigts, le maître comprend rapidement votre état d'esprit. Les yogis méditent aussi avec les doigts en cercle. C'est bien, mais la position de zazen est meilleure. Vous pouvez vous-même comparer et juger ce qui est le mieux pour la concentration.

Tous les maîtres ont étudié cette question en Chine et au Japon. Moi-même, j'ai posé des questions à mon Maître et j'ai reconnu que c'était la meilleure position.

Je dis toujours : « Pour vous concentrer, mettez votre esprit dans votre main gauche. » Pourquoi la main gauche ? Parce que la droite est fatiguée, vous l'utilisez sans cesse !

— *Doit-on appuyer les pouces très fort ou doivent-ils être seulement en contact ?*

— Juste se toucher. Ne pas presser trop fort. Il faut que les mains soient perpendiculaires au ventre. Elles expriment la condition de la conscience.

C'est très délicat. Je n'ai pas besoin de regarder à l'intérieur de votre cerveau. A vos doigts, je comprends votre karma, votre destin. C'est très révélateur. Et tous les jours, la forme change pendant zazen.

En contrôlant vos mains et la jonction des pouces, vous arrivez à relâcher la tension des épaules et à les abaisser.

— *Durant zazen, est-il possible de fermer les yeux ?*

— Pendant zazen, la position des yeux est très importante. La concentration du regard sur un point amène certains à cligner des yeux. En fait, il faut poser le regard à un mètre devant soi et ne pas le bouger, ni regarder les fesses de la dame qui est devant vous.

Certains ferment les yeux, aussi ils s'assoupissent.

Dans les temps anciens, les dojos étaient très sombres et souvent les moines dormaient. En continuant zazen longtemps, le cerveau devient calme. On arrête de penser, on va de non-pensée en non-pensée et on s'endort.

Lorsqu'on n'arrive pas à se concentrer, par suite d'un excès de nervosité ou d'anxiété, il est possible de fermer les yeux un moment puis de les ouvrir. Certains les ouvrent trop, regardent le ciel et tombent dans une sorte d'extase.

La vraie position des yeux en zazen est de poser le regard à un mètre devant soi, les yeux mi-clos.

Mes yeux sont très lumineux. Aussi je ne regarde pas toujours mon interlocuteur. Mais si je veux vraiment voir, je les ouvre complètement et certains alors ont peur !

— *Le kyosakuman doit-il corriger les postures ?*

— Oui s'il sait. Non, s'il ne sait pas.

C'est très difficile de corriger, il est nécessaire d'avoir une longue expérience.

Moi, je vous corrige et vous devez comprendre ce que

je rectifie : rentrer le menton, tendre le bassin et la nuque, laisser tomber les épaules. Je ne fais que répéter cela depuis douze ans ! Le plus important est le menton rentré avec la nuque tendue : pousser le ciel avec la tête, pousser la terre avec les genoux. La position des mains et des doigts est importante également. Le reste est très délicat, car les erreurs sont graves. C'est le rôle du Maître, avec son expérience, et des moines anciens. Mais le menton rentré, tout le monde comprend. Certains sont trop tendus. Les avant-bras doivent être écartés du corps. Trop corriger n'est pas bon non plus. C'est important, quand les gens sont très concentrés,de ne pas les déranger en les corrigeant. Il faut corriger la fois suivante.

Parfois j'attends un mois car c'est très délicat. L'esprit est très important. Si l'esprit est bon, ce n'est pas la peine de corriger. Il faut surveiller et déceler le point important. Si on corrige à côté, ce n'est pas du tout efficace. Il faut corriger au moment où la personne peut vraiment comprendre que sa posture est mauvaise.

Comprendre est l'essence du zen. Trop enseigner n'est pas bon. Une posture très mauvaise doit être corrigée, mais seulement dans ce cas-là. Pour les débutants, c'est difficile et on doit être indulgent. Trop enseigner d'un coup est difficile. Il faut le faire progressivement, doucement et ainsi, on devient profond.

— *Pouvez-vous parler de la respiration pendant zazen ?*

— Je vais essayer, mais c'est difficile. Dans la tradition, les maîtres ne l'enseignaient jamais. Dans le yoga, c'est la première chose qu'on apprend. Dans le zen, on ne l'enseigne pas. Lorsque votre posture est juste vous trouvez automatiquement la respiration juste. Pour vous montrer, il faudrait que je me mette nu. Vous devez comprendre avec votre propre corps. Une petite inspiration à partir du plexus. Puis, expiration en poussant sur les intestins sous le nombril.

Anapanashati : expiration, respiration du Bouddha. C'est par anapanashati qu'il a trouvé le satori sous l'arbre de la Bodhi.

Pas besoin d'inspirer ; seulement expirer. Car, lorsqu'on a complètement expiré, on peut encore respirer petit, petit, petit.

Quand je lis les sutras, mon souffle est très long parce que j'ai l'habitude de l'expiration. Quand on expire, il y a un petit va-et-vient d'air dans les narines et on peut ainsi continuer longtemps. Cela fait quarante ans que je m'y entraîne.

Vous devez d'abord comprendre par le cerveau et ensuite vous entraîner. C'est une méthode pour vivre longtemps. La plupart des gens qui vivent longtemps en Orient pratiquent cette respiration. Aussi dis-je que vous devez vous concentrer sur l'expiration.

Pendant kin-hin, si j'expirais à mon rythme, plus personne ne bougerait. Alors, je m'harmonise.

Presser le sol avec le gros orteil, le pouce dans le poing gauche. On ressent alors l'énergie dans tout le bassin. Ceci est en relation avec les arts martiaux. Les arts martiaux sont autre chose que du sport. Le hara doit être fort. Pour comprendre cette respiration, le chant des sutras est suffisant. Les cérémonies et le chant des sutras sont faits pour entraîner votre respiration. Lorsqu'on chante vous devez aller jusqu'au bout du souffle. C'est un bon entraînement.

Le professeur Herrigel en a parlé dans son livre sur le tir à l'arc. Il a étudié pendant six ans cette discipline. Il pensait d'abord que le maître était fou mais, à la fin, il a abandonné toutes ses connaissances et sa philosophie et il a réussi. Il est allé au Japon étudier le vrai zen. On lui a dit : « C'est très difficile. Si vous voulez étudier le zen, il faut d'abord pratiquer un art martial. » Herrigel était très fort dans le tir à la carabine, alors il s'est mis au tir à l'arc. Mais il a compris la respiration au bout de six ans seulement. Mon maître disait : « S'il était venu me voir d'abord, cela lui aurait pris bien moins de temps. » Il a réussi quand il a compris la poussée sur les intestins, et pas avant. Le judo aussi est un entraînement de la respiration mais la plupart des gens l'ignorent. C'est à partir du deuxième ou du troisième dan que cette respiration s'installe.

Herrigel a compris inconsciemment : la flèche part au bout de l'expiration. Il en est de même dans le judo : sur l'expir on est fort; sur l'inspir, faible. On doit vaincre l'adversaire quand il est sur l'inspir. Je peux tuer un homme avec un doigt quand il est sur l'inspir. Pas besoin d'un couteau. J'ai essayé quand j'étais jeune. Je ne l'ai pas tué, seulement fait tomber par terre; au bout de l'inspir, il y a un point faible. Sur l'expir, on peut recevoir un coup, cela ne fait rien. On ne bouge même pas.

C'est pourquoi la respiration du yoga n'est pas du tout efficace pour les arts martiaux. Les Japonais n'aiment pas le yoga. Personne n'en fait au Japon parce que les gens connaissent bien la respiration zen. Pour les massages, c'est aussi très important, ainsi que pour l'escrime. Et si vous comprenez bien, cela pourra vous servir dans la vie quotidienne.

Dans une conversation, quand vous devenez passionné, vous pouvez respirer comme je vous l'explique et cela vous calmera. Le cœur est massé, les poumons s'emplissent d'air. Quand on pratique zazen, on devient courageux car il y a toujours une action du diaphragme vers le bas. On reçoit bien les petites choses, on n'a pas tellement peur.

Un jour, pendant la guerre russo-japonaise, les soldats étaient dans les tranchées et tiraient par-dessus leur tête sans même regarder tellement ils avaient peur. Le capitaine aussi était terrorisé. Mon maître a jeté un coup d'œil pour voir ce qui se passait et... il n'y avait personne en face. Il a donné un coup de pied au capitaine, il s'est saisi d'un drapeau et il est parti en courant occuper la position ennemie. Le commandant se demandait qui pouvait bien ainsi emmener les hommes. « C'est un moine zen ! » lui a-t-on dit. « Cela ne m'étonne pas, ils sont braves et très efficaces ! »

Par le corps, par la respiration, inconsciemment, on devient calme, sage. Les idées partent du corps. Si vous faites zazen, cela vous deviendra familier.

Vous pensez : « Sensei pratique peut-être cette respiration du début à la fin du zazen. » Non, quelquefois j'oublie ; mais dans la vie de tous les jours, j'ai cette habitude. Trouvez vous-même votre façon. Concentrez-vous sur l'expir comme la vache qui expire en meuglant.

Si vous vous concentrez sur l'inspir, vous devenez faible. Vous attrapez un rhume en inspirant. Vous pleurez également ainsi. Quand on est heureux, quand on rit, on est concentré sur l'expir. Par cette méthode, vous pouvez contrôler votre esprit. C'est très important et pas difficile. Mais les gens oublient. Quand vous êtes faible, triste, concentrez-vous sur l'expir et cela changera votre état d'esprit.

On peut contrôler sa vie, ses sentiments, par la respiration.

— *Quelle doit être l'attitude de l'esprit pendant le zazen ?*

— C'est un point très important. Il y a trois choses capitales pendant zazen ; la posture, la respiration, l'attitude de l'esprit. C'est le principe du zazen : la conscience. Hishiryo : pensée sans pensée. Pendant zazen, on ne peut pas arrêter sa pensée. On pense de plus en plus, car beaucoup de pensées reviennent. Dans la vie quotidienne, on n'y fait pas attention, mais durant zazen on voit venir les pensées : « Ma femme est peut-être en train de me tromper. » « Aujourd'hui, j'ai une échéance et je dois passer à la banque en sortant du dojo. » On ne peut pas arrêter sa pensée.

Dans certaines méditations, on dit : « Il ne faut pas penser. » Dans d'autres, on dit : « Il faut penser à Dieu. Vous devez former des images de Dieu ou de belles choses, ou penser à un koan, à des problèmes philosophiques. »

Cela n'est pas l'attitude juste. On ne peut pas rester sans penser et si on veut penser, se concentrer sur une chose, par exemple : « Qu'est-ce que ku, ou mu ? » c'est très difficile. C'est identique au fait de vouloir s'arrêter de penser.

Dans le zen, il faut laisser passer les pensées. Dès qu'une pensée naît, la laisser passer. Si l'argent vient, si une demoiselle vient, le sexe, la nourriture, Dieu, Bouddha, le zen, laissez passer. En zazen, concentrez-vous sur la posture et laissez passer le reste. Après, le subconscient revient car lorsqu'on arrête sa pensée consciente, le subconscient se manifeste.

Freud, Jung ont parlé de cela. Jung est un profond psychologue. Il a étudié le zen qu'il a connu par les livres du professeur Suzuki. Mais ce dernier n'avait pas l'expérience de zazen, or il est impossible de comprendre si on ne pratique pas.

Si on fait zazen, on peut comprendre le subconscient qui revient. Il faut le laisser remonter et après il s'épuise : il y a un an, cinq, dix ans, quand on était bébé.

On retourne à l'originel, à la totale pureté. C'est le satori.

Ni un état particulier ni un état de conscience transcendantal !

Pendant zazen, vous devez tout laisser passer : la volonté de ne pas penser est aussi une pensée. Il faut laisser passer, ne pas entretenir une pensée.

— *Pendant zazen, quelle est la concentration que l'on doit observer ?*

— Pour chacun c'est différent. Il faut que vous trouviez votre moyen. Les débutants doivent se concentrer un peu consciemment. Si vous continuez, vous pourrez le faire inconsciemment. A la fin, zazen est concentration inconsciente. C'est l'état suprême du zazen.

Au début, il faut se concentrer sur la posture, la respiration, les doigts... Mais si vous vous concentrez seulement sur les doigts, vous ouvrez la bouche... Même concentré sur les doigts, sur le menton rentré, il faut également être concentré sur tous les points de la posture, sur la respiration. Tout cela en même temps est très difficile et on est très occupé pendant zazen. Avec l'habitude, cela se fait inconsciemment.

Cette posture influence votre vie quotidienne et la concentration inconsciente sur chaque chose peut s'établir. Quand on est concentré inconsciemment, on ne se fatigue pas. Quand on se concentre volontairement, on se fatigue beaucoup plus rapidement.

— *A propos de la concentration et de l'observation, pourquoi est-il nécessaire d'observer ?*

— Je n'ai pas dit que vous deviez vous dire : « Il faut que j'observe mon mauvais karma. Je suis un obsédé sexuel. Sensei l'a dit... » Ce n'est pas la peine d'observer, mais si quelque chose revient inconsciemment, sans but, vous le pouvez. Cela se manifeste sûrement car il n'est pas possible d'être toujours concentré.

Quand on est concentré sur la posture, on oublie tout ; alors ce n'est pas la peine de vouloir observer à ce moment-là. Si on se dit : « Je dois arrêter de penser », c'est un but. « Il faut que je me concentre », c'est un but. Être naturel est préférable. Mais toujours penser à quelque chose n'est pas bien. Apporter un livre ou un cahier, comme un étudiant l'a fait une fois, n'est pas bien. Je lui ai donné le kyosaku. « Pourtant, Sensei, ici, c'est très facile d'apprendre et de retenir, alors que chez moi c'est difficile ! » Vous ne devez rien apporter dans ce dojo — je ne parle pas simplement des cahiers —, aucun problème de votre cerveau. Si vous faites zazen, vous coupez tout. Mais les pensées se manifestent par le subconscient.

Quel est l'état de la conscience pendant zazen ? Celui de la pensée ultime : hishiryo, penser sans penser. Aller de non-pensée en pensée. Et de pensée en non-pensée. Au-delà de la pensée... On ne peut pas l'expliquer. Quand on se concentre sur la posture, sur une bonne respiration, la tête exactement placée, tout est plus facile.

Cependant des pensées apparaissent : « Maintenant, je pense », et l'on pense d'une façon objective.

On peut voir son esprit objectivement.

Il faut être naturel car ce n'est qu'après zazen qu'on distingue la concentration de l'observation.

— *Quand on a l'esprit un peu agité pour faire zazen, peut-on compter les respirations ou se concentrer sur une syllabe,* mu *par exemple, pour se calmer ?*

— Ce n'est pas l'habitude dans le Soto Zen. Mon Maître n'aimait pas beaucoup cela. Mais pendant zazen, certains le font. Dans la méditation indienne, on compte les respirations. Les débutants peuvent le faire, mais si l'on compte, on n'est concentré que sur cela et non plus sur la posture qui devient mauvaise.

Shikantaza consiste à se concentrer seulement sur la posture, corriger la posture, toujours revenir à la posture. Si je ne me concentre pas, rapidement je me relâche. C'est très difficile de se concentrer sur les mains. Il vaut mieux se concentrer sur les doigts que de compter les respirations.

La respiration en elle-même est difficile, même pour moi malgré mes quarante ans de pratique.

— *Je fais sûrement un erreur, mais je constate qu'à la longue je ne crois pas seulement à la posture. J'y crois comme moyen.*

— Vous ne comprenez pas le zen. D'après tous les traités de la tradition, en dernier lieu, seule existe la posture. Zazen est la posture la plus élevée. La posture transmise. Quand la posture est mauvaise, il y a sûrement maladie. Tout le monde a un karma. En regardant les postures, je peux comprendre les karmas et ce qui devient maladie. Si je vous explique cela et que vous ne suiviez pas mon enseignement, votre maladie apparaît. C'est pourquoi je dis que par la posture, on peut guérir l'esprit et le corps. Très simplement.

Les médecins européens soignent seulement par l'action sur le corps et les religieux ne s'intéressent pas au corps, seulement à l'esprit. C'est pourquoi il y a tant de maladies à notre époque. Le vrai médecin, d'un regard, voit ce qu'il y a.

$$4 + 4 = 8$$
$$4 \times 4 = 16$$

Le corps à guérir, c'est 4. Votre esprit, il faut aussi s'en occuper ; c'est un autre spécialiste ou un religieux qui s'en chargera. C'est 4 + 4.

Pendant zazen, le corps se guérit, vit une grande action de guérison. « Menton rentré », système nerveux autonome rééquilibré, grande action sur la conscience, sur l'esprit, et cela devient 4 × 4, parce que cela se fait en même temps. C'est l'essence du zen. La posture est l'essence, la philosophie du zen.

Par exemple, l'avion avec ses deux ailes peut mettre une heure pour faire 500 km. Avec une seule aile, pourrait-il faire 250 km ? Ce n'est pas possible. Il en est de même pour le corps et l'esprit.

La psychologie moderne parle aussi de l'influence des doigts sur l'esprit. La posture influence l'esprit. Les gens pensent qu'ils peuvent corriger leur esprit par la volonté et demandent au médecin de corriger leur corps. Les deux doivent être faits en même temps.

Quand un religieux veut guérir l'esprit de quelqu'un il doit aussi agir sur le corps.

La posture, ce n'est pas $4+4$, c'est 4×4. C'est très important.

— *Mais je m'aperçois que je n'arrive pas à croire que la posture soit la seule chose nécessaire, qu'elle soit un but en elle-même.*

— Que croyez-vous alors ? Quand la posture est mauvaise, on est fou. Le corps est très important. Corps et esprit, c'est comme l'endroit et l'envers d'une même feuille de papier. Je comprends ce que vous voulez dire. Mais d'où vient le son du claquement des mains ? Posture et esprit, c'est la même chose. Les Européens font toujours une différence entre corps et esprit. C'est pareil à la feuille de papier, on ne peut pas acheter l'endroit sans acheter l'envers. Il en est de même avec le corps. Descartes était dualiste. La plupart des gens pensent : Mon corps est mort et mon âme va au ciel. C'est pourquoi vous pensez toujours à des choses contradictoires. Cela vous rend malade. Le corps et la conscience sont une unité. Le corps est l'esprit et l'esprit est le corps. Dans la physique moderne, on le démontre. Quand on opère, peut-on trouver l'esprit ? Peut-être dans le crâne... Mais chaque chose du corps est l'esprit. Tout est l'esprit.

Si vous voulez trouver le satori, le corps doit être sain et la posture de zazen crée la meilleure attitude de l'esprit. C'est pourquoi les Asiatiques respectent la représentation de Bouddha. Pas la statue, la posture. La posture en elle-même est satori.

La posture avec la tête en avant dénote une folie. Comme dans le yoga, personne ne respecte la posture sur la tête. Personne ne respecte la vilaine posture bouche ouverte. Seule la vraie posture est respectée. Si vous faites zazen, certainement cela impressionne et suscite le respect. La posture est semblable au claquement des mains. D'où vient le son ? De quelles mains ? Le son et les mains, c'est l'unité. Pas de séparation. Il y a beaucoup de koans là-dessus. Le corps et l'esprit sont comme les deux ailes de l'oiseau.

LA TRADITION

— *Quelle est la place de la tradition dans le zen ?*

— Le zen a toujours respecté et protégé la tradition. Depuis l'époque du Bouddha il a toujours suivi cette tradition sans jamais en dévier.

D'un autre côté le zen crée sans cesse, il s'adapte à tous les lieux et à tous les temps. Il est sans cesse frais comme une source jaillissante.

Quelle est cette tradition ? C'est très difficile à expliquer car c'est la nature de Bouddha, c'est l'essence de l'esprit qui s'est transmise au cours des siècles de maître à disciple, par-delà les mots « I shin den shin, de mon âme à ton âme ».

Des Indes en Chine, de la Chine au Japon, et du Japon à l'Europe, le zen a souvent changé de place.

Pour se développer il a besoin d'une terre vierge. Il fuit le formalisme et la sclérose religieuse.

Souvent les Européens me demandent s'ils seront capables de comprendre réellement le zen. Et je réponds toujours qu'ils y parviendront bien mieux que les Asiatiques, car ils sont frais et neufs. « Seule une bouteille vide peut être remplie. »

Les maîtres zen ont parfois brûlé les statues du Bouddha pour éduquer leurs disciples. Dans ce dojo il y a une très belle statue de Bouddha, et je m'incline toujours respectueusement devant elle. Pourquoi ? Est-ce parce qu'elle est Bouddha, ou parce qu'elle coûte cher ? En fait c'est vous que je salue car vous êtes des Bouddha vivants lorsque vous pratiquez zazen.

Vous ne devez pas vous tromper, le zen est au-delà de toutes les religions. Bouddha n'est qu'un nom. Seulement zazen est important ; en zazen vous êtes Bouddha.

— *Pourquoi les rites ?*

— Quelquefois, c'est nécessaire. Nous ne sommes pas des animaux. Par les manières, par les rites, on peut enseigner. Le rite accompli influence l'état d'esprit de celui qui l'accomplit.

La forme du rite n'est pas très importante. Mais par ce rite, je peux éduquer votre esprit à l'intérieur de vous. Je ne connais pas les rites européens. Je connais profondément les rites zen, alors je me sers de ces derniers. Je suis un moine zen et je ne peux pas enseigner les rites chrétiens. La forme n'est pas tellement importante.

Certainement, un moine chrétien très profond peut éduquer par les rites. Les grands moines éduquent toujours avec des rites : cela a une influence sur la conscience. Le bon professeur à l'école doit toujours regarder la façon dont se comportent les enfants. A l'époque actuelle, les éducateurs ne sont pas tellement bons. Ils enseignent seulement le savoir. Les grands éducateurs regardent les manières, les actions des enfants. De cette façon, les enfants peuvent agir plus exactement.

— *Pourquoi faut-il marquer les angles quand on marche dans le dojo?*

— Si vous ne tournez pas, vous allez droit dans le mur et vous tombez...

La façon d'agir est très importante, elle a une influence sur la conscience. Les fous n'agissent pas d'une façon précise. Ils ressemblent à des fantômes en marche. Quand votre conscience est droite, vous pouvez marcher droit et tourner à angle droit.

Au dojo, vous vous entraînez à l'exactitude. Quand vous entrez dans le dojo, vous marquez un petit temps d'arrêt, vous rentrez du côté gauche et avec le pied gauche. Si vous répétez cela toujours, cela influencera votre conscience et vous vous habituerez à la précision dans votre vie quotidienne.

— *Pourquoi faire des cérémonies?*

— Un peu de cérémonie est nécessaire.

— *Tous les jours?*

— Oui, tous les jours. En répétant cette cérémonie tous les jours, vos manières deviennent belles. C'est très bon pour la concentration. Pendant le Hannya Shingyo, vous pouvez vous concentrer sur l'expiration comme pendant zazen; c'est même plus facile qu'en zazen. Quand vous chantez, votre respiration se fait naturellement, automatiquement et inconsciemment. Par sampaï, la prosternation, vous apprenez à être humble. Répéter les mêmes gestes, les mêmes choses, est très important dans l'éducation. Votre karma change... Votre visage change, vos manières changent, votre esprit change... La cérémonie est simple. Il vaut mieux la pratiquer que la regarder. Ce n'est pas un spectacle.

— *Quel est le sens de l'autel du Bouddha ?*

— Ce sont des décorations. Il est nécessaire de marquer le centre, un centre sacré, saint. Et puis il faut placer les kyosakus, et le pot à encens afin qu'il en émane un parfum délicat. C'est commode pour les cérémonies.

— *Votre explication est drôle, mais est-elle complète ?*

— Dans un vrai dojo, il y a une salle du Bouddha, une salle de conférences, une salle de cérémonies, plus le dojo où l'on pratique zazen. Dans ce dojo-là il n'y a pas d'autel important. Et la statue qu'on y place est celle de Manjusri, assis sur un lion. Telle est la règle. Mais une statue de Bouddha, c'est bien aussi, peu importe. Il faut que le dojo soit centré, et qu'il y ait une droite et une gauche. S'il n'y a rien, ce n'est pas pratique. Bien sûr existent beaucoup d'autres significations. L'autel rend aussi l'atmosphère plus pure, plus sainte, plus sacrée. Nous pouvons le ressentir. Cela est mieux que de ne rien mettre du tout. Mais, en fin de compte, il n'y a pas là une signification tellement profonde, sinon, surtout, celle de marquer le centre.

— *Quelle est la signification de gasho (le salut, mains jointes, paume contre paume) ?*

— Gasho, c'est l'esprit religieux.

Dans la religion traditionnelle, on s'incline devant Dieu et l'on crée une séparation entre Dieu et soi. Dans le zen aussi, lorsqu'on fait gasho, on reconnaît Dieu ; et pourtant, à l'origine, le Bouddha ne croyait pas en cette thèse de la religion traditionnelle où il y a toujours Dieu et les hommes : Dieu est bon et les hommes sont mauvais.

Quand Bouddha est venu au monde, il a dit, dès sa naissance : « Je suis l'existence la plus haute. » (Je ne crois pas qu'il ait dit cela, un bébé ne parle pas, mais telle est la légende que les sutras ont transmise.) Dès sa naissance, il récusait tous les systèmes. « Je suis l'existence la plus haute », c'est-à-dire l'homme le plus élevé ; pas un dieu, un homme.

C'était très révolutionnaire. Raison pour laquelle certains chrétiens disent que le bouddhisme est athée ou panthéiste. Pourtant Bouddha lui-même reconnaissait parfois Dieu comme la plus haute existence.

En vérité, l'homme devient Dieu. C'est pourquoi je dis qu'en faisant zazen vous devenez Bouddha, Dieu ou Christ. De même en faisant gasho : Dieu et la main gauche, l'ego et la main droite, en les joignant en gasho, on réalise l'unité complète. On respecte, mais dans l'unité. Il ne faut pas s'oublier soi-même. Cela paraît très contradictoire. Le zen dit que vous devez abandonner l'ego, mais par gasho, c'est vous qui vous harmonisez avec le système cosmique, avec Dieu. Telle est la signification de gasho. La position des mains influence le cerveau. Si on brandit les mains, on est agressif et l'esprit s'en ressent. La forme des mains influence le cerveau. Tenir ses bras à l'horizontale, avoir le dos rond ou les épaules descendues, ce n'est pas la même chose.

Comment les mains doivent-elles être dans la vie quotidienne ? Cela aussi est important. Selon qu'on ait les bras croisés ou les mains dans les poches, l'esprit change. Si je mets les mains comme cela derrière mon dos et que je marche, c'est comme Napoléon. La position des mains influence la conscience, la psychologie l'explique. C'est un problème profond.

— *Quelle est l'importance des sutras ; ont-ils été écrits par le Bouddha ou par ses disciples ? Font-ils autorité ou pas ?*

— Quand vous regardez une pomme peinte, savez-vous si elle est bonne ou pas ? Certains disent qu'on ne peut pas la manger. Ce n'est pas une vraie pomme mais c'est une vraie réponse.

Grande question, grand problème. Les temps modernes font des erreurs au sujet du bouddhisme et du Bouddha. Tous les disciples du Bouddha ont écrit des choses vraies et des choses fausses. Dès qu'on entend, dès qu'on écrit, on fait des catégories. Après, il faut mettre les paroles en forme. On corrige, sinon les gens n'achèteraient pas les livres. On change. Moi-même, en parlant, je suis limité. Je ne peux pas exprimer la totalité de ma pensée. Je pense, je veux dire ceci ou cela et l'expression en est très difficile.

Les sutras ne sont pas une erreur mais ils ne portent pas la vérité totale. Le sutra du Lotus et le sutra du Diamant ne font pas d'erreurs. Mais si vous lisez le sutra du Lotus, cela vous semblera mystérieux. C'est un roman, de la vraie littérature comme la peinture de la vraie pomme. La pomme peinte est une vraie pomme mais on ne peut pas la manger. C'est pareil.

Il ne faut pas tout lire dans les sutras. Vous devez

comprendre le vrai sens au-delà des sutras. Il y a huit mille volumes du sutra du Lotus (Kegon), 600 du Hannya Shingyo. La totalité des sutras fait plus de 80 000 volumes. Si vous désirez étudier le bouddhisme par les sutras, vous devrez donc commencer par lire 80 000 livres. Si vous en lisez seulement dix ou cent, vous n'en connaîtrez qu'une petite partie. Comment faire ?

Le zen, c'est le retour direct à l'esprit du Bouddha qui obtint le satori sous l'arbre de la Bodhi. Vous devez faire la même expérience par la même posture, la même respiration, le même état d'esprit. Il n'est pas nécessaire de lire les livres : en faire l'expérience ici et maintenant. Si vous lisez les sutras, ce ne sera que du savoir. Vous deviendrez compliqués et un peu plus fous. Vous aurez envie de discuter et vous n'en comprendrez pas l'essence.

— *Est-ce que les sutras peuvent être dits dans une autre langue ou le japonais a-t-il des sonorités importantes, telles qu'on ne peut les changer ?*

— Le Hannya Shingyo, en fait, n'est même pas du chinois ; cela a des résonances sanscrites mélangées de chinois et de japonais, mais en gros, c'est l'ancienne prononciation chinoise mélangée avec de la prononciation japonaise. Même les japonais n'ont pas modifié le sutra. Il a été traduit en japonais moderne, en belles phrases mais on ne l'utilise pas.

— *Cela veut-il dire que le son est très important ?*

— Oui. C'est pourquoi la transmission du même texte s'est continuée. Dans les temples, les moines ne se servent pas de la version que l'on comprend, mais de ce texte mélangé dont certains mots sont changés par la prononciation japonaise. Ce n'est ni indien, ni chinois, ni japonais. Mais les idéogrammes sont chinois et japonais. Gyatei Gyatei, à la fin, c'est du sanscrit sinisé. Les sutras bouddhiques ne sont pas en japonais ; c'est du chinois très ancien, prononcé à la japonaise.

A l'époque actuelle, les chinois ne peuvent plus lire ces vieux caractères, mais la plupart des moines japonais le peuvent. Les disciples français comprennent et ils ont de la mémoire. C'est pourquoi les japonais qui viennent ici sont surpris, et un Chinois serait encore plus surpris.

— *Dans les sutras, on parle toujours des Bouddha antérieurs. Quels sont-ils ?*

— Il ne faut pas faire de catégories, ne pas faire de mysticisme. Çakyamuni Bouddha avait compris par son corps que le pouvoir cosmique fondamental existait et qu'il était uni à ce courant. Il avait tout oublié de lui ; son corps et son esprit étaient en harmonie et étaient devenus unité avec le pouvoir cosmique. Il l'a expérimenté. Vous devez en faire l'expérience par vous-même.

— *Dans le Shobogenzo, il est dit qu'un homme n'est enfant de Bouddha que dans la mesure où il a reçu l'ordination.*

— Oui, Maître Dogen a écrit cela. Quelle est votre question ?

— *Que représente l'ordination ?*

— C'est devenir enfant de Bouddha ! Si vous voulez devenir enfant de Bouddha, vous demandez l'ordination. C'est une formalité pas tellement importante. Si vous voulez être un enfant du Christ, vous devez recevoir le baptême.

Au départ, ce n'est pas la peine de devenir enfant de Bouddha. Si vous voulez vous approcher plus, si vous voulez étudier et comprendre l'esprit du Bouddha, il faut faire zazen et si vous recevez l'ordination, vous pourrez comprendre plus profondément la tradition du bouddhisme. Si vous coupez vos cheveux, si vous revêtez l'habit noir, votre état d'esprit changera. Faites zazen en kimono noir ou en costume de ville, vous sentirez la différence. Si vous revêtez le kesa, votre esprit changera et vous ne ferez pas zazen de la même façon. Quand la forme change, on n'a pas le même esprit. Quand j'étais jeune, je ne voulais pas me raser le crâne. Ma famille, mes amis ne voulaient pas. A la fin, je l'ai fait et j'ai compris plus profondément.

Pourquoi faire zazen ? pourquoi devenir enfant de Bouddha ?... même genre de question. Certains disent :

« Ce n'est pas la peine de faire zazen, lire des livres suffit et on peut comprendre. » Si on suit ces expériences écrites, on peut comprendre intellectuellement le bouddhisme, mais si on ne fait pas zazen, on ne peut pas s'approcher de l'esprit de Bouddha et comprendre les expériences de Bouddha.

Quels engagements prend-on en devenant moine ?

— L'engagement de faire zazen...

Les préceptes changent de siècle en siècle ; il y a cent,

deux cents, mille, deux mille ans, maintenant, dans l'avenir, tout change. Bien sûr, on ne doit pas tuer, voler, mentir et ces cinq ou dix commandements sont communs à toutes les religions.

Mais pour le reste, le sexe, le tabac, l'alcool, cela diffère suivant les époques. Au temps de Bouddha, le tabac n'existait pas, alors il n'en est pas question dans les sutras ! Tout cela a changé. Les mœurs sexuelles également. Dans le bouddhisme et le christianisme, les préceptes des moines sont très différents.

Il faut avoir la foi et pratiquer zazen. Si on fait zazen, la moralité devient meilleure. La personnalité se purifie. On devient calme, plus tellement coléreux, plus tellement passionné. On change ainsi son karma.

— *Peut-on changer son karma ?*

— Si vous faites zazen, vous pouvez changer votre mauvais karma. Il s'épuise, prend fin. Votre vie se transforme. Pendant l'ordination, je lis toujours un long poème qui a été traduit en français. C'est le sutra de l'ordination. Si on devient moine, l'ordination elle-même est efficace. Toute votre famille en deviendra heureuse. Alors vous devenez complètement seul, vous coupez tout l'environnement. Votre esprit intérieur acquiert la vraie liberté. Tout change : l'esprit change, le corps change. On coupe dans l'esprit avec toutes les complications. Ainsi, on peut suivre l'ordre cosmique. Je l'ai ressenti.

Quand j'ai reçu l'ordination de mon maître, Kodo Sawaki, tout a changé. Je suis alors arrivé à la dernière gare ! Plus d'anxiété pour rien, plus besoin d'argent, plus de soucis pour la famille, Ainsi, notre amour devient plus libre, plus fort. Je m'étais rasé le crâne et ma famille n'était pas tellement d'accord. Ma fille pleurait : « Pourquoi papa s'est-il coupé les cheveux ? Pourquoi s'est-il sauvé dans un temple ? » Mais après, ma famille a compris et est devenue heureuse. Maintenant, elle l'est vraiment !

C'est le karma qui change.

Cela peut sembler du formalisme, mais c'est très important : on revêt le kesa, on pratique zazen et, à la fin, on se coupe les cheveux. Le kesa n'est pas un simple morceau de tissu. Vous devez croire en lui. Si vous le regardez comme un chien pourrait le regarder, ce n'est pas efficace. Sa signification est très profonde.

Si vous coupez vos cheveux, si vous revêtez le kesa, si vous pratiquez zazen, vous devenez réellement libre ! Ma vie aussi était très compliquée et la vie de mon maître Kodo Sawaki l'était encore plus. Il était pauvre et ses caractéristiques étaient très fortes. J'avais les mêmes caractéristiques. Parfois, j'ai un ego très fort ; c'est mieux pour un moine zen, car il devient possible de l'abandonner, d'abandonner toute chose.

Mon maître disait toujours : « Quand le fruit du kaki est amer, si on le laisse reposer longtemps, il change et devient doux. » Cet ego-là devient l'ego cosmique. Plus l'ego est fort, plus il devient bon si l'on continue zazen, et on obtiendra un ego cosmique encore plus fort.

— *Les gens les plus mauvais peuvent devenir moines. Pourquoi ?*

— Quand le maître le permet, le pire peut devenir le meilleur. C'est le bouddhisme Mahayana. Les plus mauvaises passions, les plus mauvais bonnos deviennent source de satori. Quand la glace fond, elle donne beaucoup d'eau. Les grand bonnos, les grandes passions se transforment en grand satori. Un grand maître doit transformer cela et on voit là sa dimension.

— *Ne pensez-vous pas qu'il est plus difficile d'être moine zen aujourd'hui à Paris qu'il y a deux mille ans dans un monastère zen ?*

— Plus difficile, moins difficile, cela dépend des personnes. On vient faire zazen ici une heure et après on retrouve la vie active... Si vous alliez dans un monastère, vous ne penseriez qu'à en sortir. « Je veux aller au restaurant, je veux aller voir une femme, des amis, etc. »

Les gens ont toujours des doutes dans la tête. Qu'est-ce qui est le plus difficile ?

Les moines qui vivent à Soji-ji ou à Eihei-ji ont toujours envie de faire l'amour la nuit et ils n'y restent que trois mois. Mais pour une personne âgée se retirer dans un monastère, s'échapper du monde, n'est pas tellement difficile. Mais quand un jeune entre dans un monastère, il a vite envie d'en sortir. Il ne pense qu'à cela ! Même à Lodève, pour une sesshin de quelques jours, certains comptaient tout le temps le nombre des jours qui restaient.

Il est plus facile de faire zazen une heure le matin ou même deux fois dans la journée et d'être libre ensuite. C'est mieux ! Pour les moines japonais, zazen devient une affaire, une profession. Mais vous maintenant, vous voulez faire zazen, donc zazen est toujours frais, ce n'est pas un business. Si zazen devient un business, le vrai esprit religieux décroît.

Certains se sauvent dès qu'ils ont coupé leurs cheveux.

Jusqu'à l'ordination ils disent : « Je veux devenir moine. » Puis ils se mettent à penser et ils partent. Dans ceux qui deviennent moines, la moitié abandonne zazen aussitôt après. Peut-être que s'ils allaient dans un monastère ce serait mieux. Mais la vie dans un temple est très difficile. On est toujours seul. En se coupant de la société, on devient égoïste : on veut devenir calme, faire zazen seul dans la montagne ! C'est bien lors des sesshins mais ce n'est guère possible de continuer longtemps. On abandonne. Je dis donc que zazen doit être comme la goutte de pluie.

Sinon après être devenu moine, on ne veut plus l'être. Être bodhisattva, ce n'est pas être moine, c'est vouloir le devenir. Être moine, c'est arriver à la dernière station, à la dernière gare. Mais faire le voyage est plus beau que d'être arrivé.

— *Quelle est l'étendue de l'engagement de bodhisattva ? Dans la vie, nous prenons beaucoup d'engagements qui entrent en conflit et nous privent de toute liberté. L'engagement de bodhisattva peut-il nous libérer ?*

— Cette question revient très souvent ! Quand vous vous mariez, c'est la même chose. Il est parfois nécessaire pour l'homme d'avoir une loi, une morale. Nous ne sommes pas semblables aux animaux.

Dans le bouddhisme et dans le zen, l'ordination n'est pas un engagement. Quand vous avez reçu l'ordination, et si vous continuez à pratiquer, même si vous voulez commettre des erreurs, vous ne pouvez pas vous tromper. Si vous recevez l'ordination, votre karma est transformé ; même si vous voulez faire le mal, vous n'avez pas envie de le faire. C'est automatique et naturel.

Ce n'est pas un engagement volontariste. Je ne crois pas que cela soit la même chose dans le christianisme, mais je pense qu'une véritable ordination religieuse ne comporte aucune interdiction.

Automatiquement, vous ne pouvez plus faire le mal et même si vous le faites, le désir en décroît rapidement. Par le comportement du corps, les passions diminuent inconsciemment. Inutile de se mettre à penser comme ceci ou comme cela. C'est la vraie liberté ! Vous pouvez suivre l'ordre cosmique inconsciemment, naturellement, automatiquement.

Pendant l'ordination, je ne dis jamais : « Vous devez faire ceci, vous ne devez pas faire cela... » Je *donne* l'ordination et si vous la *recevez*, votre karma change automatiquement. L'ordination du Zen n'est pas du tout un engagement. Bien sûr, vous ne devez pas tuer, voler, abuser du sexe ou mentir. Ne pas mentir est très difficile. Ne pas tuer un moustique, c'est difficile aussi ! Ne pas vous admirer vous-mêmes, ne pas critiquer les autres...

Dans le bouddhisme, il y a dix préceptes qui ne sont pas des interdictions. Mais Bouddha a dit : « Si vous faites zazen, c'est le plus grand précepte et tout disparaît. » Si vous faites zazen, votre karma change, tout s'améliore. Ceux qui ont de mauvaises tendances s'en vont. Ceux qui continuent zazen sont excellents. S'ils se trompent, ils s'en rendent compte ou bien ils s'en vont et ne font plus zazen.

— *Pouvez-vous expliquer le rôle du bodhisattva dans la vie moderne ?*

— On ne peut pas le limiter. Si je l'expliquais, nous serions tentés de le limiter à ce que je vous dis. Chaque jour, vous devez trouvez les devoirs du bodhisattva.

Ce n'est pas un devoir semblable à un commandement religieux. Vous devez sauter dans la rivière pour aider ceux qui se noient, sauter dans les lieux périlleux. C'est la vocation du bodhisattva.

Sauter dans les difficultés, ne pas s'en échapper. C'est très difficile. Tel est le rôle du bodhisattva pour aider les autres. Donner d'abord à manger et à boire aux autres. Se servir après.

S'il vous plaît, ayez le satori. Je vais vous aider à l'avoir à tout prix, et, à la fin, j'essaierai de l'avoir pour moi.

— *Pourquoi n'entend-on jamais parler de Bouddha femmes ?*

— Mais si, il y en a aussi. Beaucoup de femmes sont devenues disciples de Bouddha. Kannon est souvent représenté sous les traits d'une femme ; mais sa représentation est en fait au-delà des sexes. Ni homme ni femme, c'est le bouddhisme Mahayana ! L'enseignement du Bouddha s'adresse aux hommes comme aux femmes et se situe au-delà. La distinction du masculin et du féminin est un grand problème pour moi dans la langue française ; en japonais il n'y a pas cette distinction pour tous les noms communs comme en français, la Seine ou le Rhône pourquoi pas ? Je trouve cela très amusant. Peut-être parce que la Seine a un cours plus doux, plus féminin que le Rhône ? Bouddha est au-delà de *le* Bouddha ou *la* Bouddha !

Les langues asiatiques ne possèdent pas ce genre de catégories. Les Asiatiques n'ont pas créé la science mais ils ne sont pas limités dans le domaine de la religion. La même phrase, infinie en chinois ou japonais, est pleine de catégories dans une langue occidentale. La philosophie est très développée en Occident, ce sont des catégories.

Nietzsche est arrivé dans une impasse ; il a dit que l'homme devait embrasser les contradictions, mais lui-même est tombé en plein dedans et il mort fou...

— *Quelle est la signification du kesa ?*

— Dogen a écrit deux volumes sur le kesa. Zazen est l'essence spirituelle du zen. Le kesa en est l'essence matérielle. Dans le christianisme, dans le bouddhisme, on respecte la croix, les statues et les images du Bouddha. Dans le zen, c'est le kesa. Les gens veulent des objets de foi. Il faut qu'il y ait quelque chose de matériel. Quelle est la meilleure matière ? Bouddha y a réfléchi et les maîtres aussi. Les vêtements sont importants. Comment s'habiller ? C'est pour cela qu'il y a des modes. La mode parisienne s'est ainsi répandue dans le monde entier.

Aussi les vêtements dans le zen sont-ils importants : la robe blanche est japonaise, la robe noire chinoise. Le kesa est indien. Il est très important. C'est le symbole du Bouddha, comme les statues. Mais je préfère le kesa aux statues.

Quel est le symbole de la vie spirituelle ? Un disciple a posé la question au Bouddha et c'est pour cela que le kesa a été créé. Les coutures représentent les champs de riz. Il faut utiliser les tissus les plus humbles. Pour confectionner les premiers kesas, on a ramassé les linceuls des morts, les linges des accouchées, les garnitures périodiques... tout ce qui avait été souillé dont personne ne voulait et qui allait être mis aux ordures. On a tout lavé, désinfecté avec des cendres. On a assemblé tous ces morceaux et ils sont devenus l'habit du moine, le plus haut vêtement. La matière la plus souillée est devenue l'habit le plus pur, car tout le monde respecte la robe de moine et son kesa.

La matière la plus basse devient la plus pure. Telle est la base du Mahayana.

C'est la même chose avec notre esprit et avec nos bonnos. Vous ne devez pas regarder à l'extérieur, mais à l'intérieur. Socrate a dit : « Connais-toi toi-même. » Si on se regarde soi-même, on ne se trouve pas si bien. Tout le monde est empli de contradictions. Nous devons mettre la liberté dans notre vie. Dans l'Hokyo Zan Mai, il est dit : « Un rat tapi dans un trou ou un cheval à l'attache paraissent calmes, mais à l'intérieur ils veulent s'échapper. » Notre esprit est pareil pendant zazen. Il cherche toujours quelque chose. Il en est ainsi pour moi, et même pour les grands Maîtres. Bouddha a également souffert de ce problème. C'est la faiblesse de l'humanité.

Par zazen, on peut diriger et contrôler son esprit. Si le rat est faible, il est vite mort. C'est l'histoire de la mégère apprivoisée. Si on conduit bien son esprit, on peut le changer. Quelqu'un de faible ne peut pas devenir grand. Il vaut mieux être fort et avoir des illusions fortes. Les grandes illusions deviennent la source de l'illumination. La glace devient de l'eau quand elle fond. Si nous avons de grandes illusions, nous aurons un grand satori.

Le vêtement le plus bas devient le symbole de la spiritualité la plus haute. On retrouve le principe du Mahayana. L'humanité comporte de grandes contradictions.

Le cerveau frontal et le thalamus ont des fonctions opposées. Si nous sommes uniquement intellectuels, nous ressentons des contradictions et nous souffrons toujours.

Le kesa est très important et, si nous le revêtons, il nous aide et change notre karma, comme zazen. C'est un symbole et j'y crois. C'est le symbole de mon Maître. Donc, je porte ce kesa, sans anxiété. Pour moi, c'est la transmission de mon Maître.

Ce qui est le plus bas devient le plus haut. Notre esprit le plus mauvais devient le meilleur, le plus haut, le plus noble.

— *Pourquoi les grands maîtres qui pratiquent mushotoku, quand ils deviennent vieux comme Dogen ou Nagarajuna, traitent-ils le kesa comme un objet de vénération, l'étudient-ils et écrivent-ils des livres à son sujet ?*

— Le kesa est l'essence du bouddhisme, le symbole du Bouddha. Bouddha fit une conférence où il réunit tous ses disciples, à la fin il tourna une fleur dans sa main, personne ne comprit sauf Mahakashyapa qui sourit. C'est à lui que Bouddha transmit son kesa car il avait compris son esprit, il lui transmit son kesa en tant que symbole du vrai satori. Des symboles visibles et matériels du dharma sont nécessaires. Shiki soku ze ku, ku soku ze shiki. Le vide devient forme et vice versa, Kesa est le plus haut symbole matériel.

Au Japon les moines maintenant ne se rasent plus et ne revêtent presque plus le kolomo. Ils l'apportent pour les cérémonies dans un sac comme des acteurs. La séparation entre le vulgaire et le sacré reste le rakusu ou le kesa. C'est le symbole de la sangha.

Si je meurs, il n'est pas nécessaire de respecter ma personne mais mon kesa qui est mon véritable esprit, mon satori, le dharma lui-même. Étudier le kesa est un grand koan, c'est l'essence fondamentale de l'enseignement transmis, même si la forme et la couleur ont changé au cours des temps.

— *Quelle est l'importance du Maître dans le zen ? Un disciple peut-il tenir un dojo ?*

— S'il n'y a pas de Maître, le disciple est comme un aveugle qui marcherait sans personne pour le conduire. Dogen a écrit sur l'absolue nécessité d'un Maître. Si vous faisiez zazen sans Maître, vous vous tromperiez. Si vous vous trompez, vous devenez fou, ou névrosé. Pour les débutants, c'est très difficile et puis ils ne comprennent pas. Vous avez appris ce qu'est la conscience, selon Maître Dogen. J'ai expliqué jusqu'à aujourd'hui ce dont il s'agit. Si vous suivez un Maître, vous devenez de plus en plus profond. Les disciples qui me suivent depuis longtemps comprennent à force d'écouter mes conférences et deviennent de plus en plus profonds. Les disciples ont le droit d'ouvrir un dojo si je leur en donne la permission. Ils représentent le Maître.

— *Quelle est l'importance du dojo ? Est-ce juste pour voir le Maître ?*

— Pourquoi seulement le Maître ? Je fais zazen tout seul moi-même. Il n'y a qu'un Maître. Il y a beaucoup d'élèves. Vous et moi et tout le monde. Le Maître est seul et il y a beaucoup de disciples. J'ai besoin de chacun de vous. Ne faites pas attention aux autres. Seulement vous et moi. Mais moi, je dois voir tout le monde et vous, vous ne regardez que moi. C'est difficile de faire zazen seul chez vous, car je ne peux pas aller chez vous. Je comprends votre question. L'atmosphère est très importante. Il y a une interdépendance entre tous ceux qui pratiquent, une influence mutuelle. Si vous êtes seul, si je suis seul ici, l'atmosphère serait différente.

Dans une cheminée, s'il n'y a qu'une seule bûche, le feu n'est pas fort. S'il y a beaucoup de bois, le feu prend très fortement. Aujourd'hui, il y avait une atmosphère très forte et il brûlait beaucoup de bûches. Le feu était merveilleux. D'où l'importance du dojo. Vous pouvez y ressentir une grande activité, mais c'est inconscient. Pas la peine de penser : « J'influence les autres, je reçois l'influence des autres. » Cela se fait inconsciemment. Si vous ne voulez pas faire zazen, cela ne m'intéresse pas. Si vous voulez, vous suivez la vie cosmique et je vous suis. Si personne ne venait, certains peut-être continueraient chez eux, mais je ne pourrais pas faire zazen, ce serait difficile pour moi. Cela fait quarante ans que je fais zazen. J'ai essayé de pratiquer seul. Je le faisais pendant un mois ou deux mois. Je suis très honnête et j'aime beaucoup zazen, mais c'était très difficile.

Quelquefois, dans ma chambre, quand j'ai écrit, je fais zazen inconsciemment, face à mon bureau. Si vous allez inconsciemment au dojo vous suivez l'ordre cosmique.

— *Quand on veut pratiquer zazen, a-t-on toujours besoin d'un Maître ?*

— Oui, au commencement c'est nécessaire. Un Maître juste. Si vous suivez un aveugle, il ne va nulle part et à la fin vous tombez dans le ravin. Sans un Maître vous ne pouvez pas suivre la Voie. Si vous voulez la vraie Voie, le Maître est nécessaire. A mes disciples aussi, je montre la direction de la Voie qui est difficile. S'ils ne me regardent pas ils se trompent de direction. Sans Maître on ne peut conserver une posture, une respiration et un état d'esprit justes pendant longtemps. En zazen on se lève dès qu'on a mal : « Aujourd'hui est un mauvais jour, demain peut-être... »

Avec le Maître vous devez et vous pouvez suivre. Même si vous ne voulez pas faire le samu, vous suivez grâce à l'interdépendance — Maître-amis-frères et sœurs de la sainte sangha. Seul c'est difficile. Même Mahakashyapa a suivi le Bouddha, il a eu besoin de lui. Si vous voulez comprendre la vraie Voie, le vrai zen, un vrai Maître est nécessaire.

— *Dans les temps modernes où les gens sont plutôt faibles un Maître zen peut-il trouver de forts et vrais disciples ?*

— C'est très facile car les gens sont très intelligents. Bien sûr, les temps ont changé et la situation dans les grandes villes, comme Paris, n'est pas la même que dans les campagnes. L'éducation est différente, spécifique au lieu comme à l'époque. Les disciples évoluent sans cesse.

Vous êtes ici, et vous êtes sûrement sincères, honnêtes et bons. Je le pense. Le kyosaku n'est donc pas nécessaire, je ne veux pas m'en servir. L'éducation par le kyosaku n'est pas la meilleure.

Dans la Chine ancienne, on enseignait seulement par ce bâton. On ne se servait pas de la parole. L'école de Maître Umon fut appelée « École kyosaku » parce qu'il ne parlait jamais et utilisa uniquement le bâton jusqu'à sa mort (il était lui-même surnommé le « Maître Bâton ». Ce fut une école influente où les disciples devenaient vraiment forts. Les questions, très profondes, étaient sélectionnées et, pour les poser au Maître, il fallait recevoir le bâton. Chaque erreur occasionnait un coup.

— *Le zen tend à se répandre. De nombreuses personnes, y compris des chrétiens fervents, cherchent à le pratiquer. Comment répondre à ce besoin sans risquer de tomber dans un zen dénaturé ? Vous-même êtes seul à votre niveau et ne pouvez être partout : qui peut être qualifié pour aider ?*

— Mes disciples aident, suivent mon enseignement. Les vrais disciples suivent toujours l'enseignement, sans dévier. Le temps aidera aussi, le temps apportera des solutions.

Les erreurs s'éliminent. La Vérité est éternelle.

Une cinquantaine de mes disciples ont compris ce qu'est le vrai zen et, spécialement à mon dojo, une dizaine environ ont une connaissance absolument précise de mon enseignement du zazen, ils peuvent me représenter et continuer mon éducation. Ce nombre s'accroît sans cesse et ainsi la transmission de mon enseignement de la pratique du zen peut se faire sans trop de difficultés ; de nouveaux groupes peuvent se créer, sans que l'esprit soit dénaturé, ni la rigueur de la posture déviée.

— *Comment savoir si on comprend le zen ?*

— C'est le Maître qui doit certifier l'authenticité de votre compréhension. Car si vous vous certifiez par vous-même, cela n'est pas vraie compréhension.

La certification subjective de vous-même et la compréhension objective par le Maître sont nécessaires. On se dit : « Je comprends, je comprends... » L'homme veut toujours créer ses catégories et, parfois, il se trompe. C'est pourquoi les mots sont nécessaires.

Dans le Rinzaï, l'éducation est très sévère. Dans le

Soto, elle n'est pas difficile. On comprend ou on ne comprend pas. Moi-même, pendant vingt ans, je posais des questions à mon Maître qui me répondait : « Faites seulement zazen... Shikantaza. »

Dans le Rinzaï, il y a des mots, des koans, des discussions sur les koans et le Maître certifie. Dans le Soto, pas tellement. Mais une authentification par le Maître est nécessaire.

Pour les débutants, seule la pratique de zazen est importante. Ne faites pas de catégories avec votre propre conscience ; vous êtes trop intelligent pour cela.

Le zen, c'est comprendre avec son corps et le Maître, à ce moment-là, certifiera le disciple qui comprend profondément plus que les autres. Mais si la vie quotidienne est mauvaise, c'est qu'il y a une erreur et que son esprit se trompe.

— *Obaku, Muso et d'autres grands Maîtres du zen ont souvent dit que la compréhension intellectuelle du zen est un obstacle à sa compréhension réelle. Conseillez-vous ou non de lire ? Est-ce dangereux ?*

— Ce n'est pas mauvais, mais il ne faut pas faire d'erreurs.

Lire parfois est une bonne chose. En ne faisant que zazen, vous ne pouvez pas progresser dans votre savoir ; il faut lire des livres, mais bien les choisir.

Il ne faut pas confondre la lune avec le doigt qui la montre. Tosan a brûlé tous ses livres ! Il était peut-être trop passionné. C'est une forte décision de son esprit. Si on lit trop, on devient faible et on hésite toujours. Mais Tosan connaissait tout. Il avait trop de savoir. Alors, il a tout fait brûler et n'a plus fait que zazen...

— *Comment savons-nous que nous faisons une erreur?*

— Je ne sais pas. Vous devez le comprendre par vous-même. Réfléchir est le mieux. Vous ne pourrez le savoir par des moyens extérieurs. C'est facile de mentir aux autres, mais à soi-même c'est très difficile!

— *Utilise-t-on les koans dans le Soto Zen?*

— Tout est koan. Ce n'est pas du théâtre. Le Maître doit créer les questions : Qu'est-ce que ku, mu? Quelle est la nature originelle? Mais après cela devient du théâtre. Le disciple comprend par les livres, et ce n'est pas du tout effectif dans l'enseignement Rinzaï.

Dans le Soto Zen, l'éducateur passe aussi par des koans. Aussi « ici et maintenant » est très important. Mais il ne s'agit pas d'un examen universitaire. Ne sont posés que des problèmes réels de la vie quotidienne. Vous souffrez, vous êtes anxieux. Vous n'êtes pas satisfait, vous posez des questions. Et le Maître répond.

Et la réponse devient koan. J'explique longuement et les gens comprennent. La réponse devient une question qui est un koan. Ma réponse est devenue votre koan. C'est plus efficace.

Vous ne devez pas faire de catégories.

Actuellement, dans le Rinzaï, cela devient du formalisme. Mais les grands Maîtres Rinzaï n'utilisaient pas les koans. Seulement les petits Maîtres qui lisent la question avant zazen et les disciples doivent y penser pendant zazen. Durant zazen, le vrai Maître dit : « Vous ne devez pas penser avec votre cerveau, mais avec votre corps. » Avec un koan, on pense avec son cerveau.

La vie quotidienne est un koan. « Bonjour, comment ça va ? » devient un koan. Je dis aussi « menton rentré, belle posture », c'est un koan. Tendre les hanches, c'est un koan.

Pendant zazen, vous ne devez pas penser avec le cerveau. La conscience de chacun est illimitée, infinie. Vous devez laisser passer les pensées qui, à la fin, s'épuisent d'elles-mêmes, et vous pouvez alors penser inconsciemment.

A l'heure actuelle, on pense trop, on est trop compliqué. Après zazen le visage a changé et, si on continue zazen, on devient souriant.

Après six mois, un an de pratique, tout est complètement différent. On devient léger, libre, pas compliqué. Le karma s'épuise.

— *A quoi sert un koan ?*

— Ce sont les paroles du Maître, l'éducation par des mots très simples que le disciple doit comprendre par son intuition, et non par son cerveau ou son savoir.

Dans l'école Rinzai on a fait des koans une technique formaliste, les réponses sont dans des livres !

Un disciple s'était rendu un jour dans la chambre de mon Maître Kodo Sawaki, pour s'entretenir d'un sujet qui le tourmentait.

« — S'il vous plaît, révélez-moi l'Essence du zen, la nature de Bouddha, demanda-t-il.

— A qui donc dois-je dire cela ? répondit Sawaki.

— Dites-le-moi, c'est une question qui me tourmente.

— A vous ! et il éclata de rire — A vous, mais vous n'êtes rien, vous n'avez absolument aucune importance. »

C'est cela un véritable koan. Le rugissement d'un lion dans l'oreille d'un poulet.

Pas de questions ?

(Silence.)

Alors, tout le monde a le satori !

ZAZEN

POSTURE D'ÉVEIL[1]

La pratique de zazen est le secret du zen. Zazen est difficile, je le sais. Mais, pratiqué quotidiennement, il est très efficace pour l'élargissement de la conscience et le développement de l'intuition. Zazen ne dégage pas seulement une grande énergie, c'est une posture d'éveil. Pendant sa pratique, il ne faut pas chercher à atteindre quoi que ce soit. Sans objet, il est seulement concentration sur la posture, la respiration et l'attitude de l'esprit.

La posture. Assis au centre du *zafu* (coussin rond), on croise les jambes en lotus ou en demi-lotus. Si l'on rencontre une impossibilité, et qu'on croise simplement les jambes sans mettre un pied sur la cuisse, il convient néanmoins d'appuyer fortement sur le sol avec les genoux. Dans la position du lotus, les pieds pressent sur chaque cuisse des zones comprenant des points d'acupuncture importants correspondant aux méridiens du foie, de la vésicule et du rein. Autrefois, les samouraïs stimulaient automatiquement ces centres d'énergie par la pression de leurs cuisses sur le cheval.

Le bassin basculé en avant au niveau de la cinquième lombaire, la colonne vertébrale bien cambrée, le dos

1. Tiré de *La Pratique du Zen,* par Taisen Deshimaru, Éd. Albin Michel.

droit, on pousse la terre avec les genoux et le ciel avec la tête. Menton rentré, et par là même nuque redressée, ventre détendu, nez à la verticale du nombril, on est comme un arc tendu dont la flèche serait l'esprit.

Une fois en position, on met les poings fermés (en serrant le pouce) sur les cuisses près des genoux, et l'on balance le dos bien droit, à gauche et à droite, sept ou huit fois en réduisant peu à peu le mouvement jusqu'à trouver la verticale d'équilibre. Alors on salue *(gasho)*, c'est-à-dire que l'on joint les mains devant soi, paume contre paume, à hauteur d'épaules, les bras pliés restant bien horizontaux. Il ne reste plus qu'à poser la main gauche dans la main droite, paumes vers le ciel, contre l'abdomen ; les pouces en contact par leur extrémité, maintenus horizontaux par une légère tension, ne dessinent ni montagne ni vallée. Les épaules tombent naturellement, comme effacées et rejetées en arrière. La pointe de la langue touche le palais. Le regard se pose de lui-même à environ un mètre de distance. Il est en fait porté vers l'intérieur. Les yeux, mi-clos, ne regardent rien — même si, intuitivement, on voit tout !

La respiration joue un rôle primordial. L'être vivant respire. Au commencement est le souffle. La respiration zen n'est comparable à aucune autre. Elle vise avant tout à établir une rythme lent, puissant et naturel. Si l'on est concentré sur une expiration douce, longue et profonde, l'attention rassemblée sur la posture, l'inspiration viendra naturellement. L'air est rejeté lentement et silencieusement, tandis que la poussée due à l'expiration descend puissamment dans le ventre. On « pousse sur les intestins », provoquant ainsi un salutaire massage des organes internes. Les maîtres comparent le souffle zen au mugissement de la vache ou à l'expiration du bébé qui crie aussitôt né.

L'attitude de l'esprit. La respiration juste ne peut surgir que d'une posture correcte. De même, l'attitude de l'esprit découle naturellement d'une profonde concentration sur la posture physique et la respiration. Qui a du souffle vit longtemps, intensément, paisiblement. L'exercice du souffle juste permet de neutraliser les chocs nerveux, de maîtriser instincts et passions, de contrôler l'activité mentale. La circulation cérébrale est notablement améliorée. Le cortex se repose, et le flux conscient des pensées est arrêté, tandis que le sang afflue vers les couches profondes. Mieux irriguées, elles s'éveillent d'un demi-sommeil, et leur activité donne une impression de bien-être, de sérénité, de calme, proche du sommeil profond, mais en plein éveil. Le système nerveux est détendu, le cerveau « primitif » en pleine activité. On est réceptif, attentif, au plus haut point, à travers chacune des cellules du corps. On pense avec le corps, inconsciemment, toute dualité, toute contradiction dépassée, sans user d'énergie. Les peuples dits primitifs ont conservé un cerveau profond très actif. En développant notre type de civilisation, nous avons éduqué, affiné, complexifié l'intellect, et perdu la force, l'intuition, la sagesse liées au noyau interne du cerveau. C'est bien pourquoi le zen est un trésor inestimable pour l'homme d'aujourd'hui, celui, du moins, qui a des yeux pour voir et des oreilles pour entendre. Par la pratique régulière de zazen, chance lui est donnée de devenir un homme nouveau en retournant à l'origine de la vie. Il peut accéder à la condition normale du corps et de l'esprit (qui sont un) en saisissant l'existence à sa racine.

Assis en zazen, on laisse les images, les pensées, les

formations mentales, surgissant de l'inconscient, passer comme nuages dans le ciel — sans s'y opposer, sans s'y accrocher. Comme des ombres devant un miroir, les émanations du subconscient passent, repassent et s'évanouissent. Et l'on arrive à l'inconscient profond, sans pensée, au-delà de toute pensée *(hishiryo)*, vraie pureté. Le zen est très simple, et en même temps bien difficile à comprendre. C'est affaire d'effort et de répétition — comme la vie. Simplement assis, sans but ni esprit de profit, si votre posture, votre respiration et l'attitude de votre esprit sont en harmonie, vous comprenez le vrai zen, vous saisissez la *nature de Bouddha*.

Glossaire

Aïkido : l'un des arts martiaux japonais. *Aïka :* harmonie avec le système cosmique ; *do :* voie.

**Alaya :* « Réservoir de la conscience. » L'inconscient qui contient et reçoit toutes les potentialités, et alimente la conscience.

**Amala :* pure conscience. Conscience de satori. L'inconscient le plus profond, source de la conscience spirituelle et religieuse.

**Avalokitesvara :* Kannon, bodhisattva ayant réalisé sa propre nature par sa faculté d'écouter. Il symbolise la grande compassion de celui qui fait vœu de sauver tous les êtres vivants apparaissant dans les dix directions (la totalité des macro- et microcosmes).

**Bodhi :* l'état de Bouddha.

Bodhidharma : (v^e^-vi^e^ siècles ap. J.-C. ? — mort aux environs de l'an 530) : fondateur du bouddhisme zen (Ch'an), il devint le premier patriarche de la lignée ininterrompue qui s'est perpétuée depuis Bouddha jusqu'à nos jours. Moine indien, il se rendit en Chine où il apporta la pratique de zazen. Sa biographie n'est pas très clairement établie. Il était fils du roi de Koshi, un pays du sud de l'Inde. Selon la tradition, il vint en Chine en 520, et pratiqua zazen face au mur de sa grotte durant trois années. Un moine chinois, Eka, vint le voir pour être instruit. Comme Bodhidharma faisait mine d'ignorer totalement son existence, Eka résolut de se trancher le bras afin de lui prouver sa détermination dans la recherche de la

* Les mots précédés d'un astérisque sont d'origine sanscrite.

voie. Finalement il devint disciple de Bodhidharma et reçut de lui le *shibo,* la transmission. Ce fut donc le deuxième patriarche.

★*Bodhisattva :* « Bouddha vivant. » Chacun peut réaliser qu'il l'est et consacrer sa vie à aider les autres hommes en participant à la réalité sociale. Rien ne le distingue d'eux, mais son esprit est Bouddha.

Bonnos : les illusions.

★*Bouddha :* la racine sanscrite *Boudh* signifie l'éveil et *Bouddha :* l'éveillé. Ce mot désigne le Bouddha historique, Çakyamuni, qui vécut il y a 2500 ans, et aussi tous ceux qui ont atteint la plus haute vérité, la vraie liberté. Les maîtres peuvent être appelés Bouddha. Nous avons tous, au fond de nous, la nature de Bouddha, l'essence originelle de la vie humaine.

★*Çakyamuni :* Le Bouddha historique.

★*Dharma :* selon la racine sanscrite : l'ensemble des processus qui régissent la vie cosmique, les lois de l'univers, découvertes où à découvrir. Désigne aussi parfois tantôt l'enseignement du Bouddha, tantôt toutes les existences, ou bien toutes les vérités, la vérité cosmique.

Do : la Voie, la plus haute vérité.

Dogen : 1200-1253. Le fondateur de l'école Soto au Japon. En 1223, il alla en Chine, où il pratiqua le zen avec maître Nyojo durant quatre ans. Il revint au Japon en 1227. En 1244, il s'installa au temple d'Eihei-ji.

Dojo : lieu où l'on pratique la méditation zen.

Eka : 487-593. Le second patriarche. En 520, il vint trouver Bodhidharma. L'histoire dit qu'il se coupa le bras gauche pour prouver sa sincérité.

Eno : 638-713. En chinois : Houeï-Neng, le sixième patriarche. C'est lui qui a véritablement établi l'école zen en Chine. Il eut plus de quarante disciples, dont Nangaku et Seigen.

Fuse : le don sans but personnel, pas seulement matériel, également spirituel.

Gasho : action de joindre les mains verticalement devant soi. Ne demande pas une foi objective, est symbole de l'unité de l'esprit et de l'existence.

Genjo-Koan : Le chapitre essentiel du *Shobogenzo* de Maître Dogen.

Guenmaï : soupe traditionnelle, à base de riz complet et de légumes.

**Hannya Shingyo* ou *Makahannya Haramita Shingyo (Maha prajna paramita hridaya sutra* en sanscrit) : c'est l'essence du *sutra de la Sagesse Suprême,* l'essentiel d'un ensemble de sutras très développés que l'on trouve dans six cents livres, et le texte central du bouddhisme Mahayana. Il est chanté dans les dojos à l'issue du zazen.

Hara : littéralement : les intestins. Signification physiologique : concentration des nerfs aussi importante que le groupe de nerfs situés à la base du cerveau. Le hara devient vigoureux par la pratique de zazen et la respiration juste. Centre de l'énergie et de l'activité.

**Hinayana ou Theravada :* cent ans après la mort du Bouddha, deux courants se formèrent : un courant conservateur et un courant novateur : Hinayana (Petit Véhicule) est le courant plus passif, fondé sur la foi et les préceptes. S'est répandu surtout dans le sud de l'Asie (Ceylan, Thaïlande, Birmanie...).

Hishiryo : penser sans penser. Au-delà de la pensée.

Kaïs : préceptes.

Kanji : idéogramme. Devenu synonyme de calligraphie.

**Karma :* enchaînement des causes et des effets. L'acte et ses conséquences (actions, paroles et pensées, êtres et choses sont étroitement interdépendants).

Kendo : escrime japonaise.

Kesa : symbole de la transmission de maître à disciple. L'habit du Bouddha, l'habit du moine. *Rakusu :* petit *kesa,* plus pratique pour la vie courante, les voyages, et donné aussi aux disciples *(bodhisattvas).* A l'origine, fut créé par le Bouddha. Lorsqu'il eut découvert zazen, Bouddha se rendit au bord du Gange, où l'on brûlait les morts. Il prit des morceaux de linceul, les lava dans le fleuve, les teignit avec la terre ocre (*kasaya* en sanscrit signifie : ocre) et les assembla. Plus tard, on se servit des feuilles des arbres et on mêla les couleurs de façon à ce que les morceaux de chiffon inutilisés, une fois lavés et cousus ensemble, aient une couleur « cassée », non vive. Le sens du *kesa,* dont les coutures dessinent une rizière, est : évocation du travail. Et surtout : l'étoffe la plus usagée peut devenir la plus belle, la plus sacrée, de même que l'être le plus perverti peut devenir le plus éveillé.

Ki : activité invisible emplie de l'énergie du cosmos. Devient l'énergie du corps, dans toutes ses cellules.

Kin-hin : après zazen, marcher lentement selon la méthode transmise.

Koan : originellement : principe de gouvernement. Ici, problème contradictoire de l'existence. Principe de vérité éternelle transmis par un Maître.

Kodo Sawaki : 1880-1965, Maître de Taïsen Deshimaru, dont ce dernier a reçu la transmission *(shiho)* et l'héritage spirituel.

Kolomo : robe noire du moine zen.

Kontin : assoupissement.

Ku : vacuité, vide.

Kusen : enseignement oral pendant zazen.

Kyosaku : bâton du Maître zen. Le coup de *kyosaku*, pendant le zazen, a un effet à la fois tonifiant et calmant.

Mahayana : ou Grand Véhicule. Courant novateur du bouddhisme. Amour universel et activité pour le salut de l'humanité. La voie active. S'est répandu en Chine, au Tibet et au Japon.

**Mana :* conscience qui est comprise comme le sixième sens par lequel sont perçues les fonctions mentales.

**Manjusri :* (*Monju. Botatsu* en japonais), bodhisattva symbolisant la Sagesse.

Mokugyo : littéralement : poisson de bois. Instrument servant dans les cérémonies bouddhistes à rythmer le chant des *sutras*.

Mondo : Mon : questions, *do :* réponses. Questions et réponses entre disciples et maître.

Mu : absolument rien.

Mushotoku : sans but ni esprit de profit.

**Nagarjuna :* considéré comme le patriarche de la plupart des écoles du Bouddhisme japonais. Propagateur de la voie du milieu. Auteur des commentaires de la *Mahaprajna Paramita* (Hannya Shingyo.)

**Nirvana :* extinction complète des phénomènes. Désigne parfois la mort.

Nyojo : Maître instructeur de Dogen en Chine.

Rinzaï : dans le zen, il n'y a pas de sectes. Mais à partir de Houeï-Nêng (Eno), cinq écoles se formèrent selon les lieux et les méthodes d'éducation. Toutes pratiquaient le zazen. Il reste les deux principales, le Rinzaï et le Soto. Dans le

Rinzaï, on utilise plus formellement les *koans,* et le zazen, que l'on pratique face au centre du dojo, est devenu une méthode pour atteindre le *satori.*

Roshi : ro : vieux, *shi :* maître. Titre honorifique donné aux grands Maîtres responsables d'un temple.

Saké : alcool de riz.

**Samadhi : (Zan Mai* en japonais), concentration.

Sampaï : prosternation, devant le Bouddha ou devant le Maître, front contre terre, les paumes des mains dirigées vers le ciel de chaque côté de la tête (symboliquement pour recevoir les pas du Bouddha).

Samu : concentration sur le travail manuel.

**Sangha :* dans le bouddhisme, groupe du Maître et des disciples.

Sanran : excitation.

Sesshin : période d'entraînement intensif au zazen. Un à plusieurs jours de vie collective, de concentration et de silence. On fait quatre à cinq heures de *zazen* par jour, entrecoupées de conférences, *mondos,* travail manuel et repas.

Shiho : certificat de transmission et de succession remis par le Maître au cours d'une cérémonie.

Shikantaza : « Seulement s'asseoir ». Se concentrer sur la pratique du zazen.

Shiki : les phénomènes, les formes, les choses visibles.

Shin : le cœur, l'âme, l'esprit, l'intuition.

Shin Jin Mei : Poème de la foi en zazen, de Maître Sozan (606-?).

Shobogenzo : Le Trésor de la Vraie Loi, œuvre maîtresse de Maître Dogen.

Soto : dans l'école Soto, zazen est pratiqué sans but, sans objet et face au mur. Le Maître ne donne pas systématiquement de *koans,* mais ses réponses aux questions des disciples deviennent des *koans.*

**Sutras :* l'enseignement du Bouddha transcrit par ses disciples. Est devenu en fait l'enseignement des Maîtres, inclut tout leur enseignement à partir des paroles du Bouddha.

Tenzo : cuisinier.

Transmigration : doctrine héritée de la pensée indienne, selon laquelle, après sa mort, la parcelle d'énergie psychique indestructible *(l'atman)* contenue dans chaque être se réinvestit dans une nouvelle création de l'un des trois mondes, à moins que l'être réussisse à échapper au cycle des renaissances (*samsara*) en entrant dans le *nirvana*.

Zafu : coussin dur rempli de kapok, sur lequel on s'assied pour la pratique de zazen ; le Bouddha se confectionna un coussin d'herbes sèches. Relever l'assise est nécessaire pour poser les genoux à terre et bien redresser la colonne vertébrale.

Zanshin : l'esprit qui demeure, l'attention juste, qui ne faiblit pas pendant ou après l'action.

Zen : Tch'an en chinois, *Dhyana* en sanscrit. Vrai et profond silence. Habituellement traduit par : concentration, méditation sans objet. Retour à l'esprit originel et pur de l'être humain.

TABLE

Ouvrages de Maître Deshimaru

Vrai Zen, Éd. Le Courrier du Livre.
Shobogenzo, Éd. Le Courrier du Livre (épuisé).
Zen et Cerveau, Éd. Le Courrier du Livre.
La Pratique du Zen, recueil regroupant : *Zazen*, suivi des textes sacrés : *Hokyo Zan Mai et San Do Kai*, Éd. Albin Michel, col. Spiritualités vivantes Poche.
Zen et Arts Martiaux, Éd. Albin Michel.
Autobiographie d'un moine Zen, Éd. R. Laffont (épuisé).
Le Chant de l'immédiat satori, Shodoka, texte sacré du Ch'an, traduit et commenté, Éd. Retz, col. l'Esprit du Zen.
La Pratique de la concentration, Éd. Retz.
Le Bol et le Bâton. Cent vingt histoires zen, Éd. Cesare Rancilio.
Chants et Poèmes zen (disque, Z. Ed.).
Le Sutra de la grande Sagesse, Éd. Retz.
L'Anneau de la voie, paroles d'un maître Zen, Éd. Cesare Rancilio.

« *Spiritualités vivantes* »
Collection fondée par Jean Herbert

au format de poche

1. *La Bhagavad-Gitâ,* par Shrî AUROBINDO.
2. *Le Guide du Yoga,* par Shrî AUROBINDO.
3. *Les Yogas pratiques (Karma, Bhakti, Râja),* par Swâmi VIVEKANANDA.
4. *La Pratique de la méditation,* par Swâmi SIVANANDA SARASVATI.
5. *Lettres à l'Ashram,* par GANDHI.
6. *Sâdhanâ,* par Rabindranâth TAGORE.
7. *Trois Upanishads (Iskâ, Kena, Mundaka),* par Shrî AUROBINDO.
8. *Spiritualité hindoue,* par Jean HERBERT.
9. *Essais sur le Bouddhisme Zen,*première série, par Daisetz Teitaro SUSUKI.
10. — *Id.*, deuxième série.
11. — *Id.*, troisième série.
12. *Jnâna-Yoga,* par Swâmi VIVEKANANDA.
13. *L'Enseignement de Râmakrishna,* par Jean HERBERT.
14. *La Vie divine,* tome I, par Shrî AUROBINDO.
15. — *Id.*, tome II.
16. — *Id.*, tome III.
17. — *Id.*, tome IV.
18. *Carnet de pèlerinage,* par Swâmi RAMDAS.
19. *La sagesse des Prophètes,* par Muhyi-d-dîn IBN'ARABI.
20. *Le Chemin des Nuages blancs,* par ANAGARIKA GOVINDA.

21. *Les Fondements de la mystique tibétaine*, par ANAGARIKA GOVINDA.
22. *De la Grèce à l'Inde*, par Shrî AUROBINDO.
23. *La Mythologie hindoue, son message*, par Jean HERBERT.
24. *L'Enseignement de Mâ Ananda Moyî*, traduit par Josette HERBERT.

Nouvelle série dirigée
par Marc de Smedt

25. *La Pratique du Zen*, par Taïsen DESHIMARU.
26. *Bardo-Thödol. Le livre tibétain des morts*, présenté par Lama ANAGARIKA GOVINDA.
27. *Macumba, forces noires du Brésil*, par Serge BRAMLY.
28. *Carlos Castaneda. Ombres et lumières*, présenté par Daniel C. NOEL.
29. *Ashrams : les Grands Maîtres de l'Inde*, par Arnaud DESJARDINS.
30. *L'Aube du Tantra*, par Chogyam TRUNGPA.
31. *Yi King*, adapté par Sam REIFLER.
32. *La Voie de la perfection*, par BAHRÂM ELÂHI.
33. *Le Fou divin*, par Trungpa KUNLEY.
34. *Santana*, par Dominique GODRÈCHE.
35. *Dialogues avec Lanza del Vasto*, par René DOUMERC.
36. *Techniques de méditation*, par Marc de SMEDT.
37. *Le Livre des secrets*, par BHAGWAN SHREE RAJNEESH.
38. *Zen et arts martiaux*, par Taïsen DESHIMARU.
39. *Traité des Cinq Roues (Gorin-no-Sho)*, par Miyamoto MUSASHI.
40. *La Vie dans la vie. Pratique de la philosophie du Sâmkhya d'après l'enseignement de Shrî Anirvân*, par Lizelle REYMOND.
41. *Satori. Dix ans d'expérience avec un Maître Zen*, par Jacques BROSSE.
42. *Discours et sermons*, de HOUEÏ-NÊNG.
43. *Tao Te King*, par Lao TSEU.

44. *Questions à un Maître Zen*, par Taïsen DESHIMARU.
45. *Contes et récits des arts martiaux de Chine et du Japon*, recueillis par Pascal FAULIOT et présentés par Michel RANDOM.
46. *Essais sur les mystiques orientales*, par Daniel ODIER et Marc de SMEDT.

L'impression et le brochage de ce livre
ont été effectués par l'Imprimerie Bussière
à Saint-Amand (Cher)
pour

Achev
N° d'édition : ... 1529.
D

LIBRAIRIE COLES
#100
CENTRE VILLE
MERCI!
BONNE JOURNEE

04/05/90 6:48PM
004A#3688 ****
/A.B.

LV.REG $14.95

**TTL $14.95
CASH $20.00
CHNG $5.05

Imprimé en France